ANWBE**X**TRA

Dominicaanse Republiek

Philipp Lichterbeck

D0530793

De 15 hoogtepunten in een oogopslag

BAHAMA'S

Provinciales

Middle Caïcos   Lorimers

Little Inagua Island

Caïcos-eilanden

East Caïcos

South Caïcos

Great Inagua Island

Ambergris Cays

Seal Cays

Matthew Town

CUBA

Ile de la Tortue

De beklimming van El Morro (blz. 93) `11`

Port-de-Paix

Monte Cristi

Cap-Haïtien

Môle St-Nicolas

Cap-Haïtien (CAP) ✈

Dajabón

Gonaïves

HAÏTI

Cor

St-Marc

Hinche

Bánica

Ile de la Gonâve

Elías Piña

Mirebalais

Port-au-Prince

Port-au-Prince (PAP) ✈

Lago Enriquillo

Anse-à-Veau

Belle-Anse

Parque Nacional
Sierra de Bahoruco

Port Salut

Les Cayes

Pedernales

Van Barahona naar Pedernales (blz. 66) `6`

Cabo Falso

Isla Beata

Caribische

N

0   50   100 km

TURKS- EN CAICOS-
EILANDEN (GB)

Grand Turk Island
• Cockburn Town

Turks-
eilanden

Atlantische Oceaan

Mouchoir
Bank

10 De watervallen
van Damajagua
(blz. 90)

DOMINICAANSE
REPUBLIEK

• Luperón

• Los Hidalgos

Puerto Plata
✈ Puerto Plata (POP)

9 De oude stad van Puerto Plata
(blz. 84)

13 De Cascada
de Limón
(blz. 104)

12 Het Cibaodal
(blz. 96)

15 Las Galeras
(blz. 111)

Mao •
• Santiago
de los Caballeros

Sabaneta •

✈ Santiago
de I. C. (STI)

Moca •

7 Naar Loma
Quita de Espuela
(blz. 74)

Las
Terrenas

Parque Nacional José
Armando Bermúdez

• San Francisco
de Macorís

• La Vega

• Santa Bárbara de Samaná

Jarabacoa •

8 De watervallen
van Jarabacoa
(blz. 77)

14 Los Haitises
(blz. 107)

Cordillera Central

• Constanza

P.N.
Los Haitises

Sabana de
la Mar

• Miches

José Carmen
de Ramírez
P.N.

• San Juan
de la Maguana

• Monte Plata

• Hato Mayor

• El Seíbo

Punta Cana
(PUJ)

5 Rit door de suikerrietvelden
(blz. 54)

5

4 La Cueva
de Maravillas
(blz. 51)

✈ Punta Cana

• Azua

Barahona (BRX) ✈

4

Santo
Domingo

• San Pedro
de Macorís

• La Romana

• Boca de Yuma

✈

• Bani

1 De oude stad van Santo Domingo
(blz. 36)

Parque Nacional
del Este

• Barahona

2 De Calle Conde
(blz. 40)

3 Los Tres Ojos
(blz. 46)

• Oviedo

Cabo Beata

Parque Nacional
Jaragua

Zee

Welkom

Bienvenidos	6
Ter oriëntatie	8
Kennismaking	10
Geschiedenis, heden en toekomst	14
Overnachten	16
Eten en drinken	18
Praktische informatie	20

Onderweg in de Dominicaanse Repubiek

Santo Domingo — 32
Santo Domingo 32
Het zuidoosten — 48
Boca Chica 48, Guayacanes en Juan Dolio 48
San Pedro de Macorís 49, La Romana 50
Bayahibe 53, Isla Saona 59, Higüey 59
Punta Cana en Bávaro 60, Playa Limón 61
Het zuidwesten — 62
San Cristóbal en La Toma 62, Baní 63, San José de Ocoa 63
Lago Enriquillo 64, Barahona 65
Het binnenland — 70
Santiago de los Caballeros 70, La Vega 73
Jarabacoa 76, Constanza 79
Het noorden en het schiereiland Samaná — 81
Puerto Plata 81, El Castillo en La Isabela 89, Punta Rucia 92
Monte Cristi 92, Sosúa 95, Cabarete 100, Río San Juan 101
Las Terrenas 102, Santa Bárbara de Samaná 106, Las Galeras 110

De 15 hoogtepunten

1 **Sporen van Columbus – in de oude stad van Santo Domingo** — 36
Ontdek de oudste Europese stad van Amerika

2 **Vamos a condear! – Een wandeling langs de Calle Conde** — 40
Wandel door het beroemdste voetgangersgebied van het land

3 **Een speling van de natuur – Los Tres Ojos** — 46
Bezoek vier bijzondere onderaardse meren

4 Onderaardse sprookjeswereld – La Cueva de Maravillas   51
    Laat u betoveren door een mysterieuze grot

5 Achter het paradijs – rit door de suikerrietvelden   54
    Ontdek de realiteit van de Haïtiaanse landarbeiders

6 Het Wilde Westen – van Barahona naar Pedernales   66
    Door het ongereptste gebied van het land

7 Door het regenwoud – Loma Quita de Espuela   74
    Beklim een berg vol dieren en planten

8 Een donderend schouwspel – de watervallen van Jarabacoa   77
    Loop naar drie machtige watervallen

9 Victoriaanse pracht – de oude stad van Puerto Plata   84
    Een wandeling door het kleurrijke centrum van de havenstad

10 Een nat avontuur – de watervallen van Damajagua   90
    Klim door een spectaculaire rivierkloof

11 De berg aan het einde van de wereld – beklimming van El Morro   93
    Geniet van het uitzicht vanaf de eenzaamste top van het land

12 Koffie, cacao en geschiedenis – door het Cibaodal   96
    Een tocht door de graanschuur van het land

13 Een herinnering aan Adam en Eva – de Cascada de Limón   104
    Vergaap u aan de idyllisch gelegen 52 m hoge waterval

14 Mangroven, eilanden en grotten – Los Haitises   107
    Rondvaart door een surrealistisch eilandenlandschap

15 Het laatste paradijs – Las Galeras   111
    Zeer rustig dorp met fantastische stranden en veel natuur

Toeristische woordenlijst   114
Culinaire woordenlijst   116
Register   118
Colofon   126
Paklijst   128

▶ ▦ ▦ ▦ ▦ ▦ ▦ Deze symbolen in de tekst verwijzen naar een plattegrond
① Dit symbool in de tekst verwijst naar één van de 15 hoogtepunten

Bienvenidos – Welkom

Je ziet ze vooral in het weekeinde: Dominicaanse vrouwen met enorme plastic rollen op hun hoofd. De kleurige, vaak als een kroon gedragen *rollos* (rollen) zijn geen krulspelden, maar moeten het haar juist glad maken. Het uiterlijk speelt in de Dominicaanse Republiek een belangrijk rol.

Overzicht

De drie grote luchthavens van de Dominicaanse Republiek, waar vrijwel alle toeristen aankomen, zijn **Punta Cana** in het oosten, **Santo Domingo** in het zuiden en **Puerto Plata** aan de noordkust. Afhankelijk van waar u landt, moet u uw vakantie plannen. Of andersom natuurlijk. De Dominicaanse Republiek heeft vrijwel dezelfde oppervlakte als de Benelux, maar lijkt door de beperkte infrastructuur en vele bergen een heel stuk groter. Ruwweg is het land naast de hoofdstad Santo Domingo in vijf regio's te verdelen. Ze variëren in landschappelijk opzicht sterk van elkaar en vormen samen een van de gevarieerdste en kleurrijkste landen ter wereld. Meer dan 500 jaar nadat Columbus het eiland betrad, kunt u zich zijn enthousiasme nog steeds goed voorstellen: 'Dit is het mooiste wat ik ooit heb gezien.'

De hoofdstad

Santo Domingo (▶ G 5/6), de modernste stad in het Caribisch gebied, is het politieke, economische en culturele centrum van de Dominicaanse Republiek. Tegelijkertijd is het de oudste, nog steeds bestaande Europese stad in Noord- en Zuid-Amerika. In 1496 werd Santo Domingo door Columbus' broer Bartolomeo gesticht. Het zorgvuldig gerestaureerde historische centrum uit de tijd van de conquistadores behoort tot de fraaiste bezienswaardigheden van het land.

Het zuidoosten

Wanneer u Santo Domingo langs de kust in oostelijke richting verlaat, rijdt u eerst door een paar kleine toeristenplaatsen en komt u vervolgens in het le-vendige **La Romana** (▶ K 6), een door de suikerrietteelt gedomineerde regio. Ten oosten van La Romana volgen enkele bijzonder fraaie badplaatsen als **Bayahibe** (▶ L 6). In het binnenland daarachter ligt **Higüey** (▶ L 5), een van de bekendste bedevaartsoorden van het land. Op de oostpunt van het eiland vindt u de grootste verzameling all-inclusivecomplexen van de Dominicaanse Republiek: de toeristische enclave **Punta Cana** (▶ M 5).

Het zuidwesten

De regio aan de grens bij Haïti tussen **Barahona** (▶ C/D 6) en **Pedernales** (▶ A 7) is het minst bezochte gebied van het land. Dat heeft te maken met de geringe bevolkingsdichtheid en de soms extreme droogte – maar zegt niets over de bijzondere schoonheid van deze omgeving. U kunt hier in door bergrivieren gevoede poelen baden, de **Laguna de Oviedo** (▶ C 8) met zijn flamingokolonies verkennen en het meest afgelegen strand van het land bezoeken in de **Bahía de las Águilas** (▶ B 7). De oevers van het zoutmeer **Enriquillo** (▶ A/B 5/6) worden door meterslange leguanen bevolkt.

Het binnenland

Het binnenland wordt door het centrale bergmassief bepaald, met de hoogste berg van het Caribisch gebied, de 3087 m hoge Pico Duarte. De twee belangrijkste plaatsen hier zijn het op het ecotoerisme gerichte **Jarabacoa** (▶ E 3) en het door de landbouw gedomineerde **Constanza** (▶ E 4). Ten noorden van het gebergte ligt de fraaie **Valle del Cibao** (▶ B-D 1/2). Het vruchtbare dal doorsnijdt het land in oost-westelijke richting en is de graanschuur van de Dominicaanse Republiek. Er wordt graan, cacao, koffie en tabak geteeld. Hoofdstad is **Santiago de los Caballeros** (▶ E 2), de op één na grootste stad van het land.

Puerto Plata
en de noordkust

Het tweede kerngebied van het massatoerisme ligt rondom de havenstad **Puerto Plata** (▶ E 1) aan de noordkust. In tegenstelling tot Punta Cana is Puerto Plata een historisch gegroeide stad, die tot voor kort echter sterk werd verwaarloosd. Ten zuiden van Puerto Plata liggen de 27 spectaculaire watervallen van **Damajagua** (▶ D 2), waar u doorheen kunt klimmen. Hoe verder je vanuit Puerto Plata naar het westen gaat, hoe rustiger de plaatsen worden. De noordwestelijkste stad van het land is het slaperige **Monte Cristi** (▶ B 1) met de eenzaam uit het landschap oprijzende heuvel El Morro. Ten oosten van Puerto Plata liggen de badplaats **Playa Dorada** (▶ E 1) en de beroemd-beruchte vakantieoorden **Sosúa** (▶ E 1) en **Cabarete** (▶ F 1). Een flink stuk verderop volgen het vriendelijke **Río San Juan** (▶ G 2) en het droomstrand Playa Grande.

Het schiereiland
Samaná

Veel reizigers beschouwen **Samaná** (▶ H-K 2/3) als de mooiste regio van de Dominicaanse Republiek. En daar valt weinig tegen in te brengen. Eindeloze palmenbossen, afgelegen stranden en met **Las Galeras** (▶ J 3) op het oostelijke uiteinde, een toeristische, maar zeer ontspannen plaats. In de Baai van Samaná kunt u tussen januari en maart bultrugwalvissen zien zwemmen. Het spektakel trekt jaarlijks 45.000 bezoekers. In de Bahía de Samaná bevindt zich ook het **Nationaal Park Los Haitises** (▶ H/J 3/4), waarvan de mangrovenbossen en grotten de oorspronkelijke bewoners van het eiland ooit bescherming boden. Sindskort is Samaná via een nieuwe noord-zuidsnelweg eenvoudig vanuit Santo Domingo te bereiken.

Zorgeloos, jong en vrolijk: een derde van de Dominicaanse bevolking is jonger dan 15 jaar

Kwaliteit in plaats van kwantiteit – het toerisme in beweging

Het is vandaag de dag nauwelijks meer voor te stellen, maar halverwege de jaren '80 van de vorige eeuw was de Dominicaanse Republiek nog een soort toeristisch niemandsland. Op de palmenstranden en in de azuurblauwe zee waren hoogstens een paar lokale bewoners te zien.

Vervolgens werden er aan de kust hotelcomplexen gebouwd en stegen de bezoekersaantallen zo snel dat het land al in de jaren negentig het imago van een goedkope vakantiebestemming voor de massa kreeg. Tegenwoordig komen er ieder jaar ongeveer vier miljoen toeristen naar het eiland. Daarmee heeft de Dominicaanse Republiek zich in korte tijd van een geïsoleerd, agrarisch georiënteerd land tot een radertje in de geglobaliseerde economie ontwikkeld. Deze snelle verandering heeft echter ook tot conflicten geleid.

Hoewel het massatoerisme natuurlijk een groot aantal banen heeft opgeleverd, wordt het inmiddels als een ontwikkelingspolitiek eenrichtingsverkeer gezien. De winsten verdwijnen in de zakken van buitenlandse hotelketens. Het water-, bodem- en energieverbruik van de complexen is enorm en er wordt een gigantische hoeveelheid afval afgescheiden. De structuur van de resorts brengt met zich mee dat bezoekers niets van het alledaagse Dominicaanse leven te zien krijgen.

Sinds enkele jaren wordt daarom geprobeerd een toeristische sector van hoge kwaliteit op te bouwen. Aan de ene kant richt men zich op exclusieve luxehotels, aan de andere kant echter bevordert men een milde vorm van toerisme met decentraal gelegen pensions en een ecologisch verantwoord aanbod waarbij ook de plaatselijke bevolking wordt betrokken.

Toch lukt het maar moeizaam om de Dominicaanse Republiek van zijn imago als goedkoop strandparadijs te ontdoen. De meeste van de duizenden toeristen uit Nederland en België reizen nog altijd 'all-inclusive'. Ze blijven zeven tot tien dagen en verlaten slechts zelden hun hotelcomplex.

Wie meer wil beleven en er zelfstandig op uit trekt, zal echter een prachtig, vaak tegenstrijdig, maar altijd fraai en spannend land ontdekken.

Leguanen, nationale parken en natuurreservaten

De natuur geniet in de Dominicaanse Republiek een hoge prioriteit. Een derde van het grondgebied wordt beschermd. Er zijn negentien nationale parken en natuurreservaten. Hoewel mijnbouwbedrijven en vastgoedondernemingen de parken binnendringen, worden ze relatief goed verdedigd – niet in de laatste plaats omdat de toeristische waarde inmiddels algemeen is erkend. Ze weerspiegelen de immense biodiversiteit van het eiland: in het enorme Parque Nacional Jaragua leeft de met 16 mm kleinste hagedis ter wereld. In het Parque Nacional Isla Cabritos gluren spitssnuitkrokodillen vanuit het water. En in het Parque Nacional José Armando Bermúdez wordt u tijdens het wandelen door blauwkroonamazonepapegaaien begeleid.

Verder gedijen in de beschermde gebieden 5600 plantensoorten, waarvan er 2000 inheems zijn. Dit betekent dat ze alleen voorkomen in de Dominicaanse Republiek.

Verschillende broers – de relatie met Haïti

Ze delen een eiland, maar leven in twee verschillende werelden: Haïtianen spreken Creools, houden van voetbal en leiden een armoedig bestaan. Dominicanen daarentegen spreken Spaans, zijn gek op honkbal en verdienen gemiddeld zes maal zo veel als de Haïtianen. Ondanks de evidente verschillen worden de twee volken door een gemeenschappelijke geschiedenis verbonden. Deze wordt echter heel anders herinnerd: in het bewustzijn van de Dominicanen zijn tot op de dag van vandaag de rampzalige veldtochten van het Haïtiaanse leger uit de 19e eeuw bewaard gebleven. Ze schiepen de mythe van de 'zwarte horde uit het westen', die steeds weer tevoorschijn komt wanneer zondebokken voor sociale misstanden moeten worden gezocht. Hiermee worden de Haïtianen op hun plaats gezet, die in de Dominicaanse Republiek het zwaarste werk verrichten. Hun aantal wordt inmiddels op ongeveer twee miljoen geschat. In Haïti is men zich bewust van

De vlag van de Dominicaanse Republiek

de discriminatie. Daar wordt de houding bepaald door het bloedbad dat in 1937 in het grensgebied door het Dominicaanse leger werd aangericht. Het aantal slachtoffers wordt op 37.000 geschat.

Maar even los van alle moeilijkheden: toen in januari 2010 een aardbeving de Haïtiaanse hoofdstad Port-au-Prince verwoestte, boden de Dominicanen sociale hulp aan. Op een website verscheen het commentaar: 'En nou is het afgelopen met de absurde verschillen. Nu moeten we onze broers en zusters helpen.'

Big business met liefde en seks

Veel toeristen bezoeken de Dominicaanse Republiek vanwege de drie 'z'-en: zon, zee en zand. En door heel

---

Dominicaans Spaans

Het Dominicaanse Spaans wordt gekenmerkt door enkele curiositeiten die iets zeggen over de ontspannen houding van de spreker:

Letters worden bij het praten graag ingeslikt: **beisból** wordt **beiból**.

Zelfs hele **lettergrepen** zijn niet zeker: **¿cómo estás?** (hoe gaat het met je?) wordt **¿cómo ta?**

De letters **l** e **r** worden bij het spreken vaak omgewisseld: **amor** verandert in **amol** (soms zelfs **amoi**), **Miguel** tot **Miguer**.

Correct **schrijven** is iets voor schoolmeesters: het meest worden de letters s, c en z verwisseld: op een menukaart zult u **cerveza** (bier) zien staan, maar ook **cerveca** of **servesa**.

Om serieus genomen te worden, moet u even **luid** en **snel** spreken als de Dominicanen.

Meer Spaans voor op reis vindt u in de toeristische woordenlijst (zie blz. 114) en de culinaire woordenlijst (zie blz. 116).

Vijf macho's op weg naar het hanengevecht in Postrer Río

wat internationale gasten wordt daar de letter 's' van seks aan toegevoegd. In alle toeristische gebieden zijn ook Dominicaanse en Haïtiaanse vrouwen te vinden die zich op meer of minder discrete wijze aan de bezoekers aanbieden. Daarbij is de grens tussen professionele en gelegenheidsprostitutie niet altijd even duidelijk te trekken. Veel meisjes zijn gewoon op zoek naar een man die hen uit de armoede verlost en van ze houdt. De ontmoetingsplaatsen variëren: in de discotheek, aan het strand, in de autowasserij. Minder voor de hand liggend is het vrouwelijke sekstoerisme: ietwat neerbuigend worden de Dominicaanse gigolo's door de plaatselijke bevolking 'sankipunki' genoemd.

Over het algemeen ligt er op seksualiteit een minder groot taboe dan in Europa. Ook moet u zich ervan bewust zijn dat veel Dominicanen vinden dat meisjes al op vijftienjarige leeftijd seksueel actief mogen zijn. Het aidspercentage in de Dominicaanse Republiek is vast-

gesteld op 1,1 procent (in Nederland en België op 0,1 %).

Volksreligies: honkbal en hanengevechten

De Dominicaanse Republiek is een van de weinige voetbalvrije gebieden ter wereld. Hier regeert zonder twijfel het honkbal. Er zijn zes professionele teams en je moet een wedstrijd hebben bezocht om de waanzin te kunnen begrijpen. Het beste kun je naar het Estadio Tetelo Vargas van San Pedro de Macorís, waar enkele van de beste spelers ter wereld vandaan komen. Na verloop van tijd vertrekken deze meestal naar de VS. Ook interessant is het Estadio Quisqueya van Santo Domingo, de thuisarena van twee teams. Het seizoen begint half november en duurt tot begin februari.

De tweede volksreligie is het hanengevecht. In elk dorp vind je een *club gallistico,* waar de hanen in de *gallera* (vechtring) onder luide toejuichingen op elkaar worden losgelaten. Niet zelden zijn de hanen de grote trots van hun bezitters en veel toeschouwers sluiten weddenschappen af. Mocht u geen ethische bedenkingen tegen het bloederige spektakel hebben – de grootste en veiligste arena is het Coliseo Gallistico in Santo Domingo.

Merengue, bachata en reggaeton

Dominicanen zijn gek op muziek. In de kroeg, aan het strand of thuis: overal hoor je de hits van het seizoen, waarop wordt meegezongen en gedanst. De populairste stijlen zijn merengue en bachata. De eerste ontwikkelde zich vanaf de jaren zestig tot de officieuze nationale muziek. Traditionele instrumenten zijn de accordeon, de conga en een *güiro* genoemde ratel. Behalve in de puristische variant perico ripiao komen daar echter telkens weer nieuwe instrumenten bij. Merengues gaan over de liefde in al zijn vormen, soms worden politieke thema's aangeroerd. De merengue wordt in paren gedanst, waarbij elke maat met een stap wordt gemarkeerd. Karakteristiek zijn de wulpse heupbewegingen en de door de man geïnitieerde draaien. Voor beginners geldt: gewoon proberen. Niemand zal je uitlachen.

Hetzelfde geldt voor de melodieuzere bachata. Deze had lange tijd de reputatie als muziek van de lagere klasse, omdat de teksten onzedelijk zijn. Bachata is gebaseerd op een vierkwartsmaat, de melodie wordt door virtuoze gitaristen gespeeld. Hoewel het moeilijk is om er op te dansen, loopt bachata op de merengue in. Daarvoor verantwoordelijk is niet in de laatste plaats de groep Aventura, die het met een combinatie van bachata en pop tot een supersterstatus in het Caribisch gebied heeft gebracht.

Jongeren in de steden luisteren tegenwoordig vooral naar reggaeton. Deze combinatie van hip-hop, reggae en dancehall is muzikaal en tekstueel sneller en harder. Meestal gaat het om sex, geweld en macho-accessoires.

Feiten en cijfers

Ligging en oppervlakte: de Dominicaanse Republiek is met 48.670 km² ongeveer even groot als de Benelux. Het land omvat het oostelijke twee derde deel van het eiland Hispaniola, het westelijke deel behoort aan Haïti. Het land meet in noord-zuidelijke richting 245 km en van oost naar west 365 km. Het hoogste punt is de Pico Duarte met 3087 m.

Bevolking: bij de laatste telling werden er bijna 9,8 miljoen inwoners geregistreerd. Ongeveer een derde woont in de hoofdstad Santo Domingo. De gemiddelde leeftijd van de Dominicanen bedraagt 25 jaar (in Nederland en België: 39 jaar). Zo'n 75 procent van de Dominicanen hebben Afrikaanse en/of indiaanse en/of Europese voorouders, zestien procent geldt als blank, elf procent als zwart. Een miljoen Dominicanen leven in het buitenland, vooral in de VS.

Religie: zo'n 95 procent van de bevolking is katholiek, maar protestantse kerken zijn in opkomst. Over het algemeen zijn de mensen echter minder religieus dan in andere Latijns-Amerikaanse landen.

Economie: de dienstverlenende sector heeft de landbouw als belangrijkste werkgever vervangen. Het grootste deel van de beroepsbevolking werkt tegenwoordig in het toerisme of in een van de vrijhandelszones. De inkomensverschillen zijn enorm: de onderste helft van de Dominicanen ontvangt een vijfde van het inkomen, terwijl de tien procent aan de top bijna de helft verdient. Ongeveer vijftig procent van de Dominicanen leeft onder de armoedegrens.

De oorspronkelijke bewoners – Siboneys en Taínos

De eerste bewoners van Hispaniola waren de Siboneys. Deze jager-verzamelaars leefden tot ongeveer 200 na Christus op het eiland en lieten nauwelijks sporen achter. Daarna volgden de Taínos. Deze behoorden tot de familie van de Arawaks, die vanuit Zuid-Amerika de Antillen koloniseerden. Naast de teelt van maïs, cassave en tabak leefden ze van de visvangst. Hun eiland, dat ze in vijf rijken hadden verdeeld, noemden ze Kiskeya ('wieg van het leven') en Ayti ('bergachtig land').

De komst van de Spanjaarden

Op 5 december 1492 zette Christoffel Columbus voet aan wal op het eiland. Hij noemde het Isla Española ('Spaans Eiland'), wat later in Hispaniola veranderde. Rond de Kerst van 1492 stichtte hij aan de noordkust van het huidige Haïti de eerste Europese nederzetting op het Zuid-Amerikaanse continent en gaf hem de naam La Navidad. Een groep van 38 zeelieden werd achtergelaten. Door de Taínos, die zichzelf als 'vriendelijk volk' beschouwden, werden de Spanjaarden gastvrij ontvangen. Columbus beschreef ze als 'onschuldig' – ook om aan te tonen hoe gemakkelijk men goud van hen zou kunnen krijgen. Maar toen hij in 1493 naar Hispaniola terugkeerde, bleek de nederzetting La Navidad verwoest. De Taínos hadden wraak genomen voor de rooftochten van de kolonisten.

In 1496 stichtten de Spanjaarden La Nueva Isabela aan de zuidkust van het eiland: het huidige Santo Domingo. Zes jaar later nam Nicolás de Ovando de leiding over. Hij introduceerde het 'encomiendasysteem', dat de Taínos tot dwangarbeid verplichtte en een model voor heel Latijns-Amerika werd. Tussen 1519 en 1533 rebelleerden de oor-

In het Alcázar de Colón in Santo Domingo werd de verovering van Zuid-Amerika voorbereid

spronkelijke bewoners onder leiding van hun hoofdman Enriquillo tegen de onderdrukking. Tevergeefs: halverwege de 16e eeuw waren de ooit 500.000 Taínos uitgestorven, uitgeput door slavenarbeid en ziekte. Toen bleek dat er weinig goud op Hispaniola te halen viel, trokken veel Spanjaarden verder naar Mexico en Peru. Het eiland bleef weliswaar een overslagpunt voor Spaanse schepen, maar nadat de Engelse piraat Francis Drake in 1586 Santo Domingo geplunderd had, raakte de kolonie in een isolement.

De stichting van Haïti en de Dominicaanse Republiek

In 1697 moest Spanje het westelijke deel van Hispaniola aan de Fransen afstaan. Frankrijk veranderde de nieuwe kolonie Saint-Domingue met honderdduizenden Afrikaanse slaven in een grote suikerrietplantage. Spoedig gold Saint-Domingue als rijkste kolonie ter wereld. De 500.000 slaven van St.-Domingue kwamen in 1791 in opstand en stichtten in 1804 Haïti. Ze wilden het eiland verenigen en bezetten in 1822 het oostelijke gedeelte. Daar stichtte de jurist Juan Pablo Duarte in 1838 het geheime genootschap La Trinitaria tegen de Haïtiaanse bezetting. Op 27 februari 1844 riepen de samenzweerders de Dominicaanse Republiek uit. De jonge natie werd echter onmiddellijk door strijd tussen caudillos verscheurd. Een van hen probeerde het land in 1869 zelfs aan de VS te verkopen.

De Trujillodictatuur

In 1882 kwam dictator Ulises Heureaux aan de macht. Deze maakte het land tot hij in 1899 werd vermoord schatplichtig aan Amerikaanse banken. Ter opeising van de vorderingen, bezetten Amerikaanse mariniers de Dominicaanse Republiek in 1916. Deze bezetting duurde tot 1924. Zes jaar later trok staatspolitiechef Rafael Leónidas Trujillo de macht

naar zich toe. De dictator leidde het land tot 1961, het jaar waarin hij werd vermoord. Hij liet zijn tegenstanders brutaal uit de weg ruimen en verrijkte zich schaamteloos. Zijn familie was voor zestig procent eigenaar van de industrie.

De erfenis van Balaguer

De eerste verkiezingen na de dood van Trujillo werden gewonnen door de schrijver Juan Bosch. Vanwege 'marxistische tendenzen' werd hij in september 1963 door voormalige volgelingen van Trujillo ten val gebracht. De meerderheid van de Dominicanen stond echter achter Bosch en in april 1965 kwam het tot een opstand tegen de staatsgreep van de regering. Ter verdediging stuurde de VS-regering 45.000 soldaten, waarmee de volksopstand werd neergeslagen.

In 1966 kozen de Dominicanen Joaquín Balaguer tot president. De voormalige minister van Buitenlandse Zaken onder Trujillo regeerde het land 22 jaar lang. Tot 1978 als een verkapte dictatuur, daarna van 1986 tot 1996 op een reguliere manier. In 2000 deed Balaguer op 94-jarige leeftijd en bijna blind nog eenmaal mee aan de presidentsverkiezingen. Hij ontving twintig procent van de stemmen.

Sterke man –Leonel Fernández

De huidige president van de Dominicaanse Republiek is Leonel Fernández. Hij regeert het land sinds 2004. De verkiezingen van 2008 won hij met een absolute meerderheid. Zijn regering is gericht op economische groei en infrastructuurprojecten. Daarbij worden het onderwijssysteem en noodzakelijke sociale hervormingen verwaarloosd. Even weinig doet hij tegen de corruptie, regelmatige stroomstoringen en de drugsmaffia. Een positief punt: hij heeft het land uit een internationaal isolement gehaald.

De meeste bezoekers van de Dominicaanse Republiek verblijven 'all-inclusive' in een hotelcomplex aan de kust. Wanneer u uw vakantieoord een keer wilt verlaten of op eigen gelegenheid reist, is er een grote verscheidenheid aan alternatieve overnachtingsgelegenheden. Het aanbod varieert van eenvoudige bungalows *(cabañas)* en middenklasseherbergen tot natuurlijk gelegen lodges en stijlvolle luxehotels. Wanneer u in het hoofdseizoen omstreeks Kerst en Pasen of met het carnaval (rond 27 februari en 16 augustus) komt, is het aan te raden om te reserveren. Verder moet het gemakkelijk zijn om accommodatie te vinden.

All-inclusive

In de all-inclusivecomplexen wordt alles voor u geregeld: van het vervoer van en naar de luchthaven tot het eten en het amusement. Het hotel heeft een eigen strand, een eigen bar en een eigen discotheek. Er zijn tennis- en golfbanen. Vrijwel dagelijks worden er excursies aangeboden, waarvan de prijzen echter onredelijk hoog kunnen zijn. De resorts liggen geconcentreerd rond Puerto Plata en ten oosten van Santo Domingo in Boca Chica, Juan Dolio en Bayahibe. De grootste agglomeratie bevindt zich echter in Punta Cana. U dient er rekening mee te houden dat ook all-inclusivecomplexen aanzienlijk in prijs, inrichting en faciliteiten kunnen variëren.

De belangrijkste hotelketens hebben een eigen website:
www.amhsamarina.com
www.bahia-principe.com
www.barcelo.com
www.iberostar.com
www.riu.com

Logies en ontbijt, hotels en pensions

Zelfs in kleine dorpen zijn tegenwoordig eenvoudige overnachtingsgelegenheden te vinden. Vooral in het achterland zijn op de natuur gerichte ecolodges gevestigd. In Santo Domingo liggen de mooiste hotels in de oude koloniale wijk. Over het algemeen geldt dat ook goedkopere hotels schoon zijn. De kamers beschikken over een douche (hoewel meestal alleen met koud water) en een toilet, zeep en een handdoek. Sommige kamers hebben een ventilator of zelfs airconditioning.

Een classificering met sterren is er niet, maar de prijzen geven een aanknopingspunt. Een tweepersoonskamer buiten de toeristische route hoeft niet meer te kosten dan RD$ 400. De volgende prijsklasse ligt tussen de RD$ 750 en 1000. Het meest voorkomend zijn de middenklassehotels tussen de RD$ 1200 en 1900 per nacht. Er wordt meestal voor een kamer betaald en niet per persoon. Zelfstandige reizigers kunnen een appartement overwegen, waarbij een kitchenette is inbegrepen.

Raadpleeg voor een overzicht van kleine luxehotels www.slh.com

Onvolledige lijsten (inclusief resorts) vindt u op:
www.kras.nl/
vakantie-dominicaanse_republiek
www.tripadvisor.nl/hotels-g147288-dominican_republic-hotels.html
www.vakantiereiswijzer.nl/
vakantie/land/11/dominicaanse-republiek
www.travelportal.info/
hotels/dominicaanse-republiek
www.worldticketcenter.nl/
dominicaanse-republiek

Motels

De motels *(cabañas turísticas)* aan de uitvalswegen worden per uur in rekening gebracht. Bijna allemaal zijn ze schoon, voordelig, discreet en veilig, zodat u ook daar eens een nacht kunt doorbrengen. De kamers zijn meestal via een garage bereikbaar en hebben kleine ramen, maar grote televisies. U wordt telefonisch geïnformeerd over de prijs, die vaak op een beperkt aantal uren is gebaseerd – u kunt daarom beter vragen wat de prijs is voor een hele nacht.

Kamperen

Langs de wandelpaden op de Pico Duarte liggen vastgestelde kampeerplaatsen. Verder bieden enkele door het land verspreide pensions kampeerplekken aan. Bijvoorbeeld Rancho Campeche bij San Cristóbal (zie blz. 62).

Prijzen

De prijzen in deze gids hebben betrekking op het laagseizoen. In het hoogseizoen van december tot Pasen en in juli en augustus kunnen de prijzen sterk stijgen. In de betere hotels van het land wordt aan de overnachtingsprijs vaak zestien procent belasting en tien procent servicekosten toegevoegd. Vanwege de inflatie fluctueren de in peso aangeven prijzen sterk ten opzichte van de dollar en de euro.

Zelfstandig reizen

De Dominicaanse Republiek biedt zelfstandige reizigers een goede infrastructuur. Het ontbreekt er noch aan openbaar vervoer noch aan accomodatie, maar de informatievoorziening is voor verbetering vatbaar. Daarom moet u ondernemend zijn ingesteld en liefst ook een beetje Spaans spreken.

Eenvoudig, voordelig en dicht bij de natuur: cabañas in Punta Rucia

Smakelijk en voedzaam: de nationale gerechten

De Dominicaanse keuken heeft iets van een stoofpot, waarin alle bewoners van het eiland hun ingrediënten hebben achtergelaten: oorspronkelijke bewoners, Afrikanen en Spanjaarden, maar ook latere immigranten. Sommige gerechten zijn nog rechtstreeks aan de Taínos toe te schrijven, zoals het *casabe* genoemde platte brood van maniok-meel.

De basis van de meeste alledaagse gerechten wordt echter gevormd door bonen, rijst, vis of vlees, waarbij kip *(pollo)*, varkensvlees *(cerdo)* en geitenvlees *(chivo)* domineren. De populairste bijgerechten zijn gefrituurde bakbanaan *(tostones)* en zoet smakende maniokwortels *(yuca)*. Het eten is vooral rijk aan koolhydraten.

De beide nationale gerechten van de Dominicanen zijn *sancocho* (een stevige stoofschotel van vlees, groenten en maniok) en *bandera dominicana,* een schotel met rijst *(arroz)*, rode bonen *(habichuela)* en varkensvlees. Het laatste gerecht herinnert met zijn kleuren aan de Dominicaanse vlag, vandaar de naam.

Vis en zeevruchten

Wie van vis houdt, kan in een land met een kustlijn van 1288 km natuurlijk zijn hart ophalen. Veel gevangen worden grouper *(mero)*, verschillende snappersoorten *(chillo)* en papegaaivis *(cotorra)*.

Vis wordt in strandtentjes meestal gefrituurd, maar in restaurants zijn over het algemeen vier bereidingsvormen mogelijk: in tomatensaus *(a la criolla)*, met knoflook *(al ajillo)*, in kokossaus *(al coco)* en in een relatief pikante tomaten-

saus *(a la diabla)*. Hetzelfde geldt voor het serveren van kreeft *(cangrejo)*, garnalen *(camarón)* en inktvis *(pulpo)*. De volgens velen lekkerste manier van bereiden is *a la vinagreta* (met azijn, olie, ui en limoensap).

Een Domincaanse specialiteit is *lambí*. Deze als wulk bekende mosselsoort werd al door de Taínos op waarde geschat. Het witte vlees herinnert wat smaak betreft aan calamares.

Een ruim aanbod aan exotische vruchten

In de Dominicaanse Republiek groeien talloze heerlijke vruchten: de zoetste ananassen *(piña)*, de sappigste mango's *(mango)* en de meest aromatische papaya's *(lechosa)*. Bij het ontbijt wordt soms al bakbananenpuree *(mangú)* geserveerd. Langs de weg kunnen maracuja's of passievruchten *(chinola)* worden gekocht en de bomen hangen vol rijpe avocado's *(aguacate)*. Veel vruchten worden door straatverkopers klaar om te eten aangeboden, soms als fruitsalade met honing *(miel)* en limoensap *(jugo de limón)*.

Chic restaurant of comedor?

Het aanbod van restaurants in de Dominicaanse Republiek varieert van kleine eetstalletjes in handen van families tot gastronomische restaurants met een Franse chef-kok. Daarbij wordt zelfs in de verfijndere restaurants een relatief bescheiden prijsniveau gehanteerd. Voor een goede maaltijd (inclusief wijn) hoeft zelden meer dan RD$ 1500 (ongeveer € 30) te worden uitgegeven. Een prijsklasse lager liggen de *restaurantes criollos,* waar typisch Dominicaanse specialiteiten worden geserveerd. Voor niet meer dan RD$ 250 hebt u hier al een hoofdgerecht.

Voor het nationale gerecht *bandera dominicana* kunt u het beste naar de eenvoudige, vertrouwde *comedores* (van *comer* – eten). Deze door families gedreven restaurants bieden vaak dagschotels (vanaf 150 RD$) aan. In eettentjes, meestal niet meer dan een oude schuur, wordt *chicharrones* (gefrituurd varkensvlees) geserveerd. Hanteer hierbij de volgende regel: waar het vol is, eet je goed en goedkoop.

Let op: veel restaurants tellen zestien procent belasting en tien procent bedieningsgeld bij de rekening op, wat niet uit de prijzen op de menukaart valt op te maken.

Rum, koffie en meer heerlijke dranken

Aangezien het leidingwater in de Dominicaanse Republiek niet veilig te drinken is, worden er overal flessen water *(agua)* verkocht, evenals de gebruikelijke zoete frisdranken *(refrescos)* als cola en fanta. Op veel straathoeken wordt kokosmelk *(agua de coco)* aangeboden, dat met een rietje rechtstreeks uit de noot wordt gedronken. Iets moeilijker te krijgen zijn de vruchtenshakes of smoothies *(batidas)*, die met een of meer van de vele fruitsoorten, water of melk, ijs en suiker in een blender worden gemixt. Ze kunnen met een paar extra scheppen suiker behoorlijk zoet uitvallen. Misschien is het beter om uw drankje *sin azucar* (zonder suiker) te bestellen.

De meest gedronken biermerken zijn Presidente en Bohemia, die voornamelijk in 0,65-literflessen op tafel komen. Beide bieren zijn verfrissend wanneer ze koud worden geserveerd, maar smaken een beetje waterig. In alle luxueuze restaurants vindt u een goede selectie wijnen.

De Dominicaanse rum is terecht in de hele wereld beroemd. De meest voorkomende merken van het suikerrietdistillaat zijn Brugal, Barceló en Bermúdez. De oudere donkere rum *(añejo* en *extra viejo)* wordt puur gedronken, terwijl de witte rum *(blanco)* vaak voor cocktails wordt gebruikt.

Mamajuana

In de fles zitten verscheidene houtsoorten. Ze drijven in een rode vloeistof, die verdacht veel ruikt naar sangría met hoestsiroop. Dit is echter mamajuana, de nationale drank van de Dominicaanse Republiek: een hoog percentage alcohol, natuurlijk potentieverhogend en werkzaam tegen een groot aantal kwalen. De plantaardige ingrediënten zijn: timacle, osúa, marabelí, palo de maguey, palo indio, bochuco caro, brazilhout en kaneel. Daaraan worden toegevoegd: twee vingers honing en drie vingers rum, waarna de fles met rode wijn wordt afgevuld. Het brouwsel moet twee weken rusten en wordt dan afgeschonken. Het eerste mengsel dient om de bittere stoffen uit het hout te verwijderen. Hierna wordt de procedure herhaald en is de toverdrank gereed. Mamajuana wordt zowel als aperitief als digestief geserveerd en wordt in de meeste souvenirwinkels klaar voor consumptie verkocht. Echte kenners kopen een fles met stukjes hout en maken hun eigen mamajuana thuis. Overigens werden enkele van de bovenstaande ingrediënten al door de oorspronkelijke Taíno-bewoners gebruikt om dranken tegen reuma te bereiden en koortswonden te behandelen.

Reizen naar de Dominicaanse Republiek

Met het vliegtuig

Air France (www.airfrance.com) en KLM (www.klm.com) vliegen (met overstap) naar Punta Cana en Santo Domingo, Iberia (www.iberia.com) alleen naar Santo Domingo. Martinair (www.martinair.com) en Arkefly (www.arkefly.nl) vliegen van Amsterdam naar Punta Cana en Puerto Plata. Jetairfly (www.jetairfly.com) van Brussel naar La Romana, Punta Cana en Puerto Plata.

Internationale Luchthaven Punta Cana (PUJ): de drukste luchthaven van het land ligt tussen Punta Cana en de plaats Bávaro en is tien tot veertig minuten van de meeste hotelcomplexen verwijderd, www.punta-cana-airport.com. Wie niet wordt afgehaald, kan een taxi nemen (de chauffeurs accepteren over het algemeen dollars en euro's, maar u doet er goed aan dit voor vertrek even te controleren). Wie het voordeliger wil, neemt een van de regelmatig vertrekkende lokale bussen (vraag naar de route). Vanuit Bávaro vertrekken streekbussen.

Aeropuerto Internacional Gregorío Luperón Puerto Plata (POP): 17 km ten oosten van Puerto Plata en een paar kilometer ten westen van Sosúa gelegen, tel. 809 586 01 75, www.aerodom.com. Er staan taxi's te wachten voor de terminal (chauffeurs accepteren dollars, onderhandel over de prijs). Langs de weg boven de parkeerplaats rijden regelmatig minibusjes *(guaguas)* naar Puerto Plata (30 minuten) en Sosúa (10 minuten).

Aeropuerto Internacional La Américas Santo Domingo (SDQ): de grootste luchthaven van het land ligt 22 km ten oosten van Santo Domingo, tel. 809 947 22 20, www.aerodom.com. De taxirit naar het centrum van Santo Domingo (ongeveer 20 minuten) hoeft niet meer te kosten dan RD$ 1000, naar Boca Chica (zo'n 15 min.) betaalt u niet meer dan RD$ 300. Er rijden helaas geen bussen. Langs de 3 km verderop gelegen Autopista las Américas rijden *guaguas* naar Santo Domingo en de omgeving van Boca Chica.

Bij alle luchthavens vindt u vestigingen van diverse autoverhuurbedrijven.

Douane

Nederlandse en Belgische toeristen hebben voor de Dominicaanse Republiek een paspoort nodig. Houd er rekening mee dat dit nog minimaal zes maanden geldig moet zijn. Bij aankomst moet u voor US$ 10 een visum aanschaffen. Hiermee mag u 90 dagen in de Dominicaanse Republiek verblijven. Bij vertrek moet u het visum nogmaals laten zien. Bij een verblijf van meer dan dertig dagen wordt een geleidelijk toenemende extra vergoeding gerekend. Kinderen moeten over een eigen paspoort beschikken wanneer ze niet voor 2007 in het paspoort van de ouders zijn geregistreerd.

Reizen in de Dominicaanse Republiek

Met het vliegtuig

Vanwege de geringe omvang van het eiland stelt het binnenlandse vliegverkeer weinig voor. Toch zijn er enkele kleine chartermaatschappijen.

Take Off: Intl. Airport Punta Cana, tel. 809 552 13 33, www.takeoffweb.com. Regelmatige vluchten voor US$ 100 en US$ 150.

Voor een korte vlucht kunt u terecht bij:
Aero Domca: Aeropuerto La Isabela (Santo Domingo), tel. 809 826 41 41, www.aerodomca.com.
Caribair: Aeropuerto La Isabela (Santo Domingo), tel. 809 826 44 44, www.caribair.com.do.

Met de bus

Alle grote steden in de Dominicaanse Republiek zijn door regelmatig rijdende en voordelige buslijnen met elkaar verbonden. De meeste bussen beschikken over airconditioning en een toilet. De belangrijkste maatschapijen zijn:
Caribe Tours: tel. 809 221 44 22, www.caribetours.com.do.
Metro: tel. 809 227 01 01, www.metroserviciosturisticos.com (hier kunt u reserveren).
Metro en Caribe rijden gedeeltelijk langs dezelfde routes. Caribebussen doen meer steden aan en stoppen vaker. Ze zijn daarom ook langzamer en goedkoper.
Expreso Bávaro Santo Domingo: tel. 809 682 96 70 (Santo Domingo), 809 552 16 78 (Bávaro). Expreso rijdt viermaal per dag tussen Santo Domingo en Punta Cana (reistijd vier uur) en stopt in La Romana.
Opmerking: ten oosten van Santo Domingo rijden geen Caribe- of Metrobussen. Naast Expreso Bávaro rijden hier de kleine maatschappijen Sitrabapu, Sichoem en Sichoprola.

Met de guagua

Een minibus die dienst doet als groepstaxi en ook tussen verder gelegen steden (zoals langs de noordkust) pendelt. Hij biedt een goedkoop en soms avontuurlijk alternatief voor de taxi.

Met de taxi

Voor de meeste hotels bevinden zich taxistandplaatsen. Borden geven informatie over de tarieven, waarvoor u wel een beetje kennis van de Spaanse taal nodig hebt. In alle grote plaatsen rijden ook minder dure radiotaxi's (kijk voor een overzicht op www.taxird.com). U kunt ook een taxi op straat aanhouden. Spreek dan wel voor vertrek een prijs af.

Met de carro público

Deze groepstaxi's bieden voor ongeveer RD$ 15 vervoer in de grote plaatsen. Ze rijden langs vaste routes en kunnen met een handgebaar worden aangehouden. Meestal zitten ze erg vol (met zeven personen in een personenauto – ja, dat is mogelijk!).

Met de motoconcho

De flexibelste, maar ook riskantste vorm van vervoer is een rit met de motorfietstaxi. Speek voor vertrek een prijs af (binnen de stad niet meer dan RD$ 25).

Met de auto

Het huren van een auto in de Dominicaanse Republiek is relatief duur. Voor een personenauto betaalt u ongeveer € 40 per dag. Benzine kost ongeveer € 3 per gallon (3,78 l). In alle grote plaatsen, op de luchthavens en in de buurt van internationale hotels vindt u de gebruikelijke autoverhuurbedrijven. Drie onafhankelijke autoverhuurbedrijven zijn: www.adventurerentcar.com, www.dominicanrentcar.com en www.urlaub-dominikanische.de. Om een auto te kunnen huren, hebt u een van de bekende creditcards nodig. Zo niet, dan zal men u vragen uw paspoort achter te laten (niet aan te raden) of moet u een hoog bedrag aan borg betalen. Sluit altijd een aanvullende verzekering af, ook wanneer deze duur is, anders betaalt u in geval van schade een hoog eigen risico. Voor vertrek moet u de toestand van de auto zorgvuldig controleren en documenteren.
Voordat u een auto huurt, is het natuurlijk verstandig om te bepalen waar u

Wisselkoersen

€ 1 = RD$ 49	RD$ 100 = € 2,03
US$ 1 = RD$ 37	RD$ 100 = US$ 2,70

Stand: december 2010

precies naartoe wilt. Wanneer u op onverharde wegen gaat rijden, hebt u een terreinwagen nodig. Hobbelige wegen met veel stof en losse stenen zijn in de Dominicaanse Republiek heel normaal en kapotte bruggen komen regelmatig voor. Ook op verharde wegen wordt een stevig voertuig aanbevolen: in de dorpen hobbelt u over betonnen verkeersdrempels, die 'slapende politieagenten' worden genoemd. Verder zorgen plotseling opduikende kuilen regelmatig voor verrassingen. Het meest voorkomende geval van pech is een lekke band. Neem altijd een reservewiel mee. In geval van nood kunt u een 'platte voet' voor een paar honderd peso bij een *gomero* (bandenwerkplaats) laten repareren.

In alle eerlijkheid moet worden gezegd dat in de afgelopen jaren veel wegen zijn gerepareerd of vernieuwd. Tot de beste wegen behoort de snelwegachtige hoofdverbinding tussen Santo Domingo en Santiago (Autopista Duarte), die verder gaat naar Puerto Plata. Nog niet zo lang geleden werd de Autopista del Nordeste tussen Santo Domingo en Nagua voltooid. Hierover rijdt u in drie uur van de hoofdstad naar het schiereiland Samaná.

Verkeersregels worden door de Dominicanen slechts losjes opgevolgd. Rechts inhalen is heel normaal, riskant uitwijken ook. Het vele claxoneren is overigens geen uiting van agressie, maar betekent: hé, hier ben ik. Over het algemeen is het aan te bevelen om defensief te rijden. Omdat richtingborden zeldzaam zijn, doet u er goed aan een wegenkaart

mee te nemen en een beetje kennis van de Spaanse taal is ook niet overbodig om u te oriënteren. Langere stukken moet u alleen rijden bij daglicht. De wegen zijn in het donker slecht verlicht en kippen, kinderen en motorfietsen zijn moeilijk te herkennen. Helaas gaan veel Dominicanen met een behoorlijke slok op achter het stuur zitten. In afgelegen gebieden moet u met een volle tank en/of reservejerrycan rijden. Benzinestations zijn er zeldzaam en sluiten vroeg.

Feestdagen

1 januari: Año Nuevo (Nieuwjaarsdag)
6 januari: Día de los Reyes (Drie Koningen)
21 januari: Día de Nuestra Señora de la Altagracia (feestdag ter ere van de patroonheilige van het land)
26 januari: Día de Juan Pablo Duarte (feestdag ter nagedachtenis aan de grondlegger van de republiek)
27 februari: Día de la Independencia (Onafhankelijkheidsdag)
maart/april: Viernes Santo (Goede Vrijdag)
1 mei: Día del Trabajo (Dag van de Arbeid)
mei/juni: Día del Corpus (Corpus Christi)
16 augustus: Día de la Restauración (dag van het herstel van de Republiek)
24 september: Día de Nuestra Señora de las Mercedes (feest ter ere van de patroonheilige van Santo Cerro)
6 november: Día de la Constitución Nacional (Dag van de Grondwet)
25 december: Navidad (Kerstmis)

Feesten en festivals

Feesten van patroonheiligen: met name in de landelijke gebieden heeft men in de loop van het jaar talloze gelegenheden voor een feestje op de naamdagen van patroonheiligen. De data zijn te vinden bij de respectievelijke locaties.

Carnaval: in februari wordt de Dominicaanse Republiek bedwelmd door het carnaval. Opzwepende muziek begeleidt de optochten, waarbij hinkende duivels *(diablos cojuelos)* met angstaanjagende maskers door de straten springen en schijngevechten leveren met 'stieren'. In Santo Domingo houden de duivels huis op de Malecón, en in La Vega en Santiago vinden gesimuleerde straatgevechten plaats tussen de duivels van verschillende stadsdelen. Hier worden ze *lechones* (speenvarkens) genoemd, omdat ze met varkensblazen zijn behangen. Andere carnavalsfiguren zijn de beer Nico, en goede en kwade geesten *(cachuas)*. Aan de slavenopstanden herinneren de *guloyas* genoemde narren in San Pedro de Macorís.

Semana Santa: maart/april. De Goede Week is een nationaal evenement. Wie dit kan, rijdt naar het strand waar met

Veiligheid en noodgevallen

In vergelijking met veel andere landen in Latijns-Amerika is de Dominicaanse Republiek relatief veilig. Afgezien van de sloppenwijken in de steden zijn er geen plaatsen die je absoluut moet vermijden. Blijf echter altijd voorzichtig. Loop niet te veel te koop met sieraden en andere waardevolle bezittingen. Grote geldbedragen kunt u ook beter uit het zicht houden. De criminaliteit is de afgelopen jaren toegenomen en diefstallen en roofovervallen kunnen overal voorkomen. Een reden van de gestegen criminaliteit is de jaarlijkse uitwijzing van 2500 delinquente Dominicanen uit de Verenigde Staten. Verder is de Dominicaanse Republiek een belangrijk doorvoerland voor drugs en staat de natie al geruime tijd bekend als toevluchtsoord voor Europese economische criminelen, belastingontduikers en pedofielen.

De professionaliteit van de politie varieert. De **toeristenpolitie** 'Politur' wordt als betrouwbaar beschouwd, andere politie-eenheden niet. Steekpenningen zijn in de Dominicaanse Republiek heel gebruikelijk. Wanneer u problemen hebt, kunt u zich tot de interne controledienst van de politie wenden: tel. 809 688 17 77.

Belangrijke telefoonnummers bij noodgevallen

Algemeen alarmnummer (ambulance, politie of brandweer): tel. 911
Toeristenpolitie: Santo Domingo (centrale), tel. 809 221 46 60;
Cabarete, tel. 809 571 07 13; Cabrera, tel. 809 754 30 91; Playa Dorada, tel. 809 320 46 03; Puerto Plata/Cofresi, tel. 809 320 03 65; Sosúa, tel. 809 754 30 51
Nederlandse ambassade: c/Max Henriquez Ureña #50, Ensanche Piantini, Santo Domingo.tel. 809 2620320 /809 2620300, www.holanda.org.do.
Belgische ambassade: Calle Padre Billini 207B, Ciudad Colonial, Santo Domingo, tel. 809 687 2244, www.diplomatie.be.
Dominicaanse ambassade in Nederland: Terschellingerstraat 6, 1181 HK Amstelveen, tel. 020 6471062
Dominicaanse ambassade in België: Louizalaan 130a, 1050 Brussel, tel. 02 346 49 35
Blokkeren van creditcards: www.creditcardacties.nl/index.php/creditcard-blokkeren.html.
Particuliere artsendienst MOVIMED: Santo Domingo, tel. 809 532 00 00; Puerto Plata, tel. 809 970 07 07; Santiago (Cibaodal), tel. 809 583 33 33; in de rest van het land tel. 809 200 09 11.

muziek en rum wordt gefeest. Er vinden ook rituelen van de Afro-Dominicaanse Gagácultus plaats. Met dansen dankt men de goden *(loas)*.

Cultureel festival Puerto Plata: derde week van juni in Puerto Plata, zie blz. 86.

Merenguefestivals: eind juli/begin augustus in Santo Domingo, zie blz. 43, en oktober/november in Puerto Plata, zie blz. 88.

Jazzfestival: oktober/november in Puerto Plata, zie blz. 88.

Geld

De nationale munteenheid van de Dominicaanse Republiek is de Dominicaanse peso (RD$). Op alle luchthavens kunt u geld wisselen. Banken bieden de beste tarieven, gevolgd door wisselkantoren, zelfstandige geldwisselaars en hotels. Naast de peso wordt de Amerikaanse dollar algemeen geaccepteerd. In toeristische gebieden kunt u ook vaak met euro's terecht. Met een Maestro- of creditcard is het mogelijk om bij geldautomaten te pinnen, waarbij echter ook kosten worden gerekend. Vooral het opnemen van contant geld met een creditcard is prijzig. Met de bekende creditcards kunt u in veel hotels en restaurants (maar lang niet overal) betalen. Hierbij wordt meestal een toeslag van zestien procent in rekening gebracht.

Gezondheid

Wat in het nabijgelegen Mexico 'de wraak van Montezuma' (diarree) wordt genoemd, staat in de Dominicaanse Republiek bekend als 'de wraak van Caonabo'. Caonabo was in de tijd van Columbus een machtige Taínoheerser. Hij neemt echter zeldener wraak dan Montezuma. Toch is het goed om de gebruikelijke voorzorgsmaatregelen te nemen: drink geen leidingwater en informeer bij ijsblokjes, vruchtensappen en vruchten-

J	F	M	A	M	J	J	A	S	O	N	D
29	29	30	30	30	31	31	32	31	31	31	30

Dagtemperatuur in °C

| 20 | 20 | 20 | 21 | 22 | 23 | 23 | 23 | 23 | 22 | 21 | 20 |

Nachttemperatuur in °C

| 27 | 26 | 26 | 27 | 27 | 27 | 28 | 28 | 28 | 28 | 27 | 27 |

Watertemperatuur in °C

| 7 | 8 | 8 | 8 | 8 | 8 | | 8 | 7 | 7 | 7 | 7 |

Aantal zonuren per dag

| 7 | 6 | 6 | 7 | 11 | 10 | 11 | 12 | 11 | 13 | 9 | 9 |

Aantal dagen regen per maand

Het klimaat in Santo Domingo

ijs of er geen leidingwater in is verwerkt. Verder moet u bij consumptie van geschilde vruchten en salade op de hygiene letten.

Over het algemeen geldt voor de Dominicaanse Republiek: neem diarreeremmers en anti-muggenmiddelen mee. Het ministerie van Buitenlandse Zaken adviseert bij een verblijf van maximaal vier weken vaccinatie tegen tetanus, difterie en hepatitis A, en bij een langer verblijf ook hepatitis B, hondsdolheid en tyfus. Aangezien er ook geïsoleerde gevallen van dengue en malaria zijn gemeld, doet u er goed aan om u goed tegen de muggen te beschermen. Kijk voor actuele informatie op www.vaccinatiepunt.nl, www.lcr.nl of www.travelmarker.nl/reistips/gezondheid

De medische verzorging in de Dominicaanse Republiek is meestal voldoende, het niveau van de opleidingen en artsen voldoet aan de Noord-Amerikaanse normen. Dokterspraktijken en ziekenhuizen zijn over het algemeen echter zeer eenvoudig ingericht.

Op de website www.allianzworldwidecare.com vindt u onder 'ziekenhuizen en artsen wereldwijd' een overzicht van medische voorzieningen.

De meeste geneesmiddelen (of vergelijkbare varianten) die in Nederland en België alleen op recept verkrijgbaar zijn, kunt u in de Dominicaanse Republiek bij elke apotheek *(farmacia)* zonder recept kopen. Aanbevolen wordt een aanvullende reisverzekering met een wereldwijde dekking. Hiermee worden in geval van nood uw kosten vergoed en wordt u indien nodig teruggebracht naar huis.

Informatie

In de Benelux

Office de Tourisme de la Republique Dominicaine
Louizalaan 271 VIII
B-1050 Brussel
tel. 00 32 2 646 1300
fax 00 32 2 649 36 92
www.dominicana.com.do
Algemene informatie wordt telefonisch verstrekt. Verder worden er door het Dominicaanse verkeersbureau kostenloos brochures verstuurd.

In de Dominicaanse Republiek

Secretaria de Estado de Turismo
Av. México / hoek Calle 30 de Marzo
Santo Domingo
tel. 00 1 809 221 46 60
fax 00 1 809 221 29 15
www.dominicana.com.do
In veel plaatsen vindt u een 'oficina de turismo'. Voor betere toeristische informatie kunt u vaak terecht in de hotels. Het ministerie van Toerisme in Santo Domingo heeft een eigen website: www.sectur.gob. do

Internet

De meeste websites in de Dominicaanse Republiek eindigen op .do
www.godominicanrepublic.com: website van het Dominicaanse verkeersbureau.

www.domrepheute.com: voor de meest actuele informatie.
www.hispaniola.eu: informatie over dagelijkse gebeurtenissen, praktische tips en reportages.
www.domrep-magazin.de: online-magazine met nieuws, advertenties, discussieforums, wisselkoersen en afstandsbellen.
www.domrep.ch: Zwitsers informatieplatform met een discussieforum.
www.domrep-infos.de: een goede website met informatie over het land en de geschiedenis, maar ook praktische tips.
www.republica-dominicana-live. com: website in het Engels, Spaans en Frans met actuele informatie over evenementen in alle plaatsen van het land.
www.dr1.com: website uit de Verenigde Staten met nieuws, algemene reisinformatie, een hotelzoekfunctie en artikelen over onder meer honkbal. Er is ook een tijdschrift van.
www.debbiesdominicantravel.com: informatie en handige beoordelingen van hotels en duiklocaties.

Kinderen

Afgezien van de lange vlucht (8-9 uur) is het land heel geschikt voor kinderen. Dominicanen kunnen goed met kinderen overweg en vertroetelen ze graag.

Aan de kust

Langs de zuidkust liggen verscheidene stranden die langzaam in zee aflopen. Kinderen kunnen hier zonder problemen pootjebaden. De stranden aan de noordkust zijn vaak door een barrièrerif beschermd. Ook daar is sprake van een rustige branding.

Activiteiten

Paardrijden: bijna overal in de Dominicaanse Republiek worden paardrijtochten voor kinderen aangeboden, bijvoorbeeld in Puerto Plata door Ran-

cho Lorilar (zie blz. 87). Veel hotels kunnen u verder informeren op dit gebied.
Boottochten: vanuit veel kustplaatsen worden rondvaarten georganiseerd naar eilanden, stranden, grotten en mangrovebossen, bijvoorbeeld in Río San Juan bij de Laguna Gri-Gri (zie blz. 102).

In het hotel

Bijna alle vakantieresorts hebben clubs voor kinderen, waar de kleintjes (meestal vanaf vier jaar) door speciaal opgeleid personeel worden beziggehouden. Veel hotels beschikken over een peuterbad en een speeltuin, en bieden diverse entertainmentprogramma's. Over het algemeen is er ook een babysitservice, die afzonderlijk moet worden betaald.

Klimaat en reistijd

Het relatief stabiele klimaat zorgt afhankelijk van de regio voor een gemiddelde jaartemperatuur van tussen de 18 °C en 25 °C. In de wintermaanden daalt het kwik een beetje, 's zomers stijgt het zelden boven de 32 °C. Februari en maart kennen de meeste zon.
Het regenseizoen duurt van mei t/m november. In het noorden valt over het algemeen meer regen dan in het zuiden. Vanwege de drie drie grote bergketens telt de Dominicaanse Republiek 39 verschillende microklimaten.
Het water is het hele jaar aangenaam warm: de temperatuur bedraagt 24 °C aan de noordkust en 27 °C in het zuiden. Kijk voor actuele informatie op www.weeronline.nl, www.weersverwachting-weer.nl/weer-internationaal.html of www.knmi.nl

Openingstijden

Banken: ma.-vr. 8.30-16.00 uur
Overheidsdiensten: ma.-vr. 7.30-14.30 uur

Winkels: ma.-vr. 9-19.30 uur, meestal ook op za, zelden op zo
Musea: 10-17 uur, ma gesloten

Reizen met een handicap

Helaas is er op het eiland weinig speciale aandacht voor gehandicapten. Er zijn bijna geen faciliteiten voor gehandicapte reizigers, maar de bereidheid om te helpen is groot. Voor mensen met een lichamelijke handicap zijn de hotelcomplexen in Punta Cana/Bávaro (zie blz. 60) en rond Puerto Plata (zie blz. 81) het geschiktst.

Roken

Roken is verboden in openbare gebouwen, restaurants, cafés en discotheken.

Sport en activiteiten

De Dominicaanse Republiek kent vele mogelijkheden voor een sportieve vakantie. De grotere hotels hebben tennis- en golfbanen, er worden paardrijtochten georganiseerd en u kunt er schitterend snorkelen. In veel plaatsen langs de kust zijn duikscholen te vinden. Belangrijke centra voor een avontuurlijke vakantie zijn Jarabacoa (zie blz. 76) in het centrale massief en Cabarete (zie blz. 100) aan de noordkust. Hier kunt u mountainbiketochten maken en leren kitesurfen, door watervallen klimmen en wildwateravonturen beleven. In de bergen kunt u prachtige wandelingen maken.

Canyoning

Door kloven klimmen, in rivieren zwemmen, door watervallen naar beneden glijden: het klinkt avontuurlijk, maar onder leiding van een goede gids kunnen zelfs kinderen (vanaf twaalf jaar) aan deze tochten meedoen. Canyoningexcursies worden zowel in Jarabacoa (zie blz. 77) als bij de spectaculaire 27 watervallen van Damajagua bij Puerto Plata (zie blz. 89) aangeboden.

Golfen

De golfbanen van de Dominicaanse Republiek hebben een uitstekende reputatie. Fraaie complexen vindt u in het exclusieve Casa de Campo bij La Romana (zie blz. 50), in Punta Cana (zie blz. 61), in het vakantiecomplex Playa Dorada bij Puerto Plata (zie blz. 87) en in Playa Grande bij Río San Juan (zie blz. 101). Tussen december en maart moet u zeker reserveren. Neem voor meer informatie contact op met de Dominicaanse Golfvereniging (Federación Dominicana de Golf): tel. 809 334 63 86, www.golf dominicano.com.

Diepzeevissen

In veel kustplaatsen kunt u jachten (inclusief bemanning en kapitein) charteren om te diepzeevissen. De centra hiervan zijn Boca de Yuma (zie blz. 60), Cabeza de Toro bij Punta Cana (zie blz. 60) en Monte Cristi (zie blz. 92). U kunt vissen op marlijn, zwaardvis en tonijn.

Voor meer inlichtingen kunt u contact opnemen met de Club Náutico de Santo Domingo, tel. 809 549 61 37 en 809 523 42 26 (in Boca Chica), www.clubnautico.com.do.

Fietsen

Veel grote hotels verhuren fietsen voor korte tochten. Voor langere tochten zijn de bergachtige omgeving rond Jarabacoa en het heuvelige achterland van Cabarete uitstekend geschikt. De organisator Rancho Baiguate biedt excursies in Jarabacoa (zie blz. 79). Iguana Mama (zie blz. 101) organiseert excursies vanuit Cabarete.

Raften en kajakken

Vooral in de bergrivieren rond Jarabacoa kunt u heerlijk wildwatervaren. Het land trekt ook steeds meer kajakkers. Er valt op dit gebied voor iedereen wel wat te beleven: er zijn niet alleen eenvoudige peddelstukjes, maar ook uitdagende wildwatertochten. Rancho Baiguate (zie blz. 79) organiseert wildere excursies, Iguana Mama (zie blz. 101) kalmere.

Training bij El Limón – honkbal is de nationale sport van de Dominicanen

Praktische informatie

Paardrijden

In alle toeristische plaatsen worden buitenritten aangeboden. U kunt op majestueuze paarden rijden, maar ook op kleinere dieren. De tochten voeren langs stranden, naar watervallen of door de bergen. Een goede keus is Rancho Lorilar in Puerto Plata (zie blz. 87).

Snorkelen

Bijna overal langs de kust kunt u prachtig snorkelen. Voor een uitrusting (zwemvliezen en een duikbril plus snorkel) kunt u vaak terecht bij een strandtentje of bij uw hotel. Mooie snorkelplekken vindt u aan de zuidkust bij Bayahibe (zie blz. 58) en in Punta Cana (zie blz. 61), maar ook op het schiereiland Samaná (zie blz. 81) en aan de noordkust bij Punta Rucia (zie blz. 92).

Duiken

De tropische duiklocaties liggen aan de zuidkust. Duikscholen in Boca Chica (zie blz. 48) en Bayahibe (zie blz. 58) hebben duikexcursies naar de scheepswrakken in het nationaal onderwaterpark La Caleta bij Santo Domingo op het programma staan. Andere fraaie duiklocaties in het zuiden vindt u voor het eiland Catalina bij La Romana en langs de kust van het Parque Nacional del Este. Aan de noordkust is de zee onstuimiger, waardoor de topografie interessanter is. Voor Monte Cristi (zie blz. 95) en Punta Rucia (zie blz. 92) liggen het koraalrif Silver Banks en de koraalatollen van de Siete Hermanos. Ook de kust tussen Sosúa (zie blz. 100) en Río San Juan (zie blz. 101) kent schitterende duiklocaties. In de wateren voor het schiereiland Sa-

Duurzaam reizen

In de Dominicaanse Republiek ontwikkelt zich langzaam een duurzame vorm van toerisme, gericht op kwaliteit in plaats van kwantiteit. Er komen steeds meer ecohotels met een minimale invloed op het milieu. Onafhankelijke touroperators organiseren excursies met ecologische thema's en schakelen hierbij de plaatselijke bevolking in. De onderstaande websites helpen uw verblijf 'groener' te maken:

www.larutadelcafedominicano.org: informatieve en interessante wandelingen door de koffieplantages van het Cibaodal.

www.ecotour-repdom.com: Eco-Tour Barahona is gevestigd in Paraíso in het diepe zuidwesten en biedt excursies naar de natuurwonderen van deze regio zonder massatoerisme.

www.iguanamama.com: onafhankelijke touroperator in Cabarete met verschillende avontuurlijke ecoreizen. Veel aandacht voor duurzaamheid en regionale cultuur.

www.ecoturismord.com: website van het ministerie van Milieu met onvolledige lijsten van duurzame accommodatie en activiteiten. Alleen in het Spaans.

www.eco-tropicalresorts.com: Deze website omvat enkele ecovriendelijke lodges en resorts.

www.forumandersreisen.de: samenwerkingsverband van 150 touroperators die zich op duurzaam toerisme richten. Er worden enkele reizen naar de Dominicaanse Republiek aangeboden.

www.fairunterwegs.org: deze Zwitserse werkgroep voor toerisme en ontwikkeling heeft tot doel toeristen op de hoogste te stellen van de sociale en ecologische realiteit van hun bestemmingen.

maná liggen scheepswrakken en steile wanden. Goede beginpunten zijn hier Las Galeras (zie blz. 113) en Las Terrenas (zie blz. 106).

Helemaal in het oosten ten slotte vindt u de onderwaterwereld van Punta Cana (zie blz. 61) met twee wrakken, fraaie rotsformaties en grote vissen bij het Kamirrif.

In alle toeristenoorden langs de kust zijn duikscholen gevestigd, vaak onder Engels-, Duits- of Nederlandstalige leiding. Op www.hollandduikcentrum.com vindt u specifieke informatie over duiken in de Dominicaanse Republiek.

Wandelen

De in het binnenland gelegen plaatsen Jarabacoa (zie blz. 79) en Constanza (zie blz. 80) zijn de centra voor wandelingen in het centrale massief. Vandaar, maar ook vanuit San Juan de la Maguana aan de zuidkant, beginnen de drie- tot vijfdaagse tochten naar de hoogste berg van het Caribische gebied: de 3087 m hoge Pico Duarte.

Ook vanuit Las Galeras (zie blz. 113) in het noordoosten van het schiereiland Samaná en vanuit Pedernales (zie blz. 66 in het uiterste zuidwesten zijn wandelingen mogelijk.

In de nationale parken worden steeds meer wandelroutes uitgezet. Voor inlichtingen hierover kunt u zich wenden tot de Afdeling Ecotoerisme (Departamento de Ecoturismo) van het ministerie van Milieu: tel. 809 472 42 04, www.ecoturismord.com. Of informeer bij uw hotel. Vaak kent men een gids in de omgeving.

Surfen, windsurfen en kitesurfen

De Dominicaanse Republiek behoort tot de tien mooiste surfplekken van de wereld. Hoofdplaats van het surfen is de plaats Cabarete (zie blz. 101) aan de noordkust, de grote baai is zowel voor beginners als professionals interessant.

Het surfseizoen duurt van eind december tot eind april en van begin juli tot eind augustus. De beste noordoostelijke passaatwind waait hier 's middags. Veel scholen bieden cursussen voor beginners, maar het loont de moeite om de prijzen en de leraren te vergelijken. Voor meer informatie kunt u terecht op de Engelstalige websites www.cabarete windsurfing.com en www.cabarete kiteboarding.com.

Telefoon en internet

Bij gesprekken vanuit het buitenland naar de Dominicaanse Republiek kiest u eerst 001. Hierna volgt het nummer, dat over het algemeen met 809 of 829 begint. Bij gesprekken vanuit de Dominicaanse Republiek moet eerst 011 worden gekozen. Voor een nummer in Nederland kiest u 011 31, voor een nummer in België 011 32. Daarna volgt het kengetal zonder de eerste 0 en vervolgens het abonneenummer.

Het voordeligst telefoneert u vanuit een winkel van bijvoorbeeld Codetel of Tricom. Een beetje duurder is een telefoonkaart (verkrijgbaar bij supermarkten, kiosken en internetcafés).

Veel Europese mobiele providers hebben roamingovereenkomsten met Dominicaanse operators. Informeer bij uw telefoonprovider in eigen land naar de kosten.

In de Dominicaanse Republiek zijn geen kengetallen, maar bij een gesprek via een vaste lijn naar een andere plaats moet eerst een 1 worden gekozen. Voor inlichtingen kunt u terecht op tel. 14 11. De afgelopen jaren is het aantal **internetplekken** sterk gestegen. In veel hotels, cafés en restaurants kunt u tegenwoordig draadloos internetten. Het kan praktisch zijn om uw eigen laptop mee te nemen. Verder is er in de grotere plaatsen zeker geen tekort aan internetcafés.

Onderweg in de Dominicaanse Repubiek

De Dominicaanse Republiek heeft een 1288 km lange kustlijn. Op sommige plaatsen liggen steile rotsen, op andere mangrovebossen. Maar meestal ziet u er stranden, zo mooi als uit een fotoboek: wit zand, kokospalmen, kristalhelder water. Wanneer er dan ook nog een zacht briesje staat, zoals hier in Bayahibe, is de Caribische idylle compleet.

Santo Domingo

▶ G 5/6, stadsplattegrond blz. 34

Santo Domingo (3 miljoen inwoners) is de modernste stad van het Caribisch gebied. Winkelcentra, wolkenkrabbers en meerbaanse wegen domineren de hoofdstad, waar de politieke, economische en culturele centra van het land samenkomen. Tegelijkertijd is Santo Domingo de oudste Europese stad van Noord- en Zuid-Amerika.

Het historische stadshart, waar nog herinneringen aan Columbus te vinden zijn (❶ blz. 34, ▮ - ▮), werd gerestaureerd en staat inmiddels op de UNESCO-werelderfgoedlijst. Het ontstond in de hoogtijdagen van de stad aan het begin van de 16e eeuw. Kort daarop begon het verval: Santo Domingo werd door piraten geplunderd en door aardbevingen verwoest. In de 20e eeuw liet dictator Trujillo de stad zelfs tot 'Ciudad Trujillo' omdopen. Tijdens het verzet tegen de dictatuur ontstond echter ook een levendige intellectuele scene. Misschien is Santo Domingo alleen in het licht van deze tegenstellingen te begrijpen.

Buiten het overzichtelijke centrum verliest men in de door auto's verstopte wijken al snel het overzicht. Tot op heden kon het verkeersprobleem zelfs door de nieuwe metro niet worden opgelost.

Dominicanenklooster ▮

Tegenover het Parque Duarte, de kerk is voor de mis geopend
Het Convento de la Órden de Predica-

dores de América was het eerste dominicanenklooster van Noord- en Zuid-Amerika (1524-1532). Hier doceerde de monnik Antonio de Montesinos, die de wreedheden tegen de Taínos aan de kaak stelde. Voor hem verscheen op de Malecón het **Monumento a Fray Montesinos** ▮. Het klooster, waarvan alleen de kruisgang en de kerk behouden zijn gebleven, werd in 1538 tot universiteit uitgeroepen en was de eerste hogeschool van Amerika.

Verderop ligt de **Plaza Bartolomé de las Casas** ▮ (Calle Padre Billini/Calle Hostos). Daar staat een monument voor de monnik Bartolomé de las Casas (1484-1566), die het beroemde *Kort relaas van de verwoesting van de West-Indische landen* schreef.

Casa de Tostado/Museo de la Familia Dominicana ▮

Calle Padre Billini/Calle Arzobispo Meriño, ma.-za 9-16 uur, RD$ 40
In het woonhuis (1516) van de schrijver Francisco de Tostado, die naar verluidt het eerste sonnet van Amerika schreef, is tegenwoordig het Museum van de Dominicaanse familie gevestigd. U krijgt hier een goede indruk van de woning van een rijke familie.

Langs de Calle Las Damas

Langs de eerste geplaveide weg van Amerika, de Calle Las Damas, staan verscheidene interessante gebouwen.

Het **Casa de Bastidas** ▮ behoorde ooit aan een familie van conquistadores. Tegenwoordig vindt u hier het **Museo**

Infantil Trampolín, een museum voor kinderen, waar natuurwetenschappelijke fenomenen worden verklaard (di.-vr. 8-17, za en zo 10-18 uur, volwassenen RD$ 100, kinderen RD$ 60).

In het renaissancistische gebouw op de hoek van de Calle Conde, het **Casa de Hernán Cortés** , zou de veroveraar Hernán Cortés zijn expeditie naar Mexico hebben voorbereid.

Even verder staat het **Hostal Nicolás de Ovando** , het stadspaleis van de familie Ovando uit 1509, waar nu een hotel is gevestigd. Ovando werd in 1502 gouverneur van het eiland. In hetzelfde jaar besloot hij tot de bouw van Santo Domingo op de westoever van de Río Ozama, nadat een orkaan de eerste nederzetting aan de oostkant had verwoest.

De oude jezuïetenkerk ertegenover is inmiddels het **Nationaal Pantheon** , waar de 'onsterfelijken van de Dominicaanse geschiedenis' rusten (ma. 12-18, di.-zo. 8-18 uur, toegang gratis).

Een belangrijke historische collectie bezit het **Museo de las Casas Reales** op de hoek van de Calle Las Mercedes. Bezienswaardig zijn de maritieme tentoonstelling, maar ook de wapenverzameling. Vroeger was dit de zetel van de gouverneurs. Voor het gebouw staat een zonnewijzer uit 1753 (di.-za. 9-17, zo.10-16 uur, RD$ 50).

Casa del Cordón

Calle Isabel la Católica, ma.-vr. 8.15-16 uur, toegang gratis

Dit is het eerste van steen gebouwde woonhuis in Santo Domingo (1504). Het behoorde aan Francisco de Garay, metgezel van Columbus en eerste notaris van de stad. Tegenwoordig zetelt hier de cultuurminnende Banco Popular.

Kloosterruïne San Francisco

Tussen Calle Hostos en Calle Restauración

Het eerste en grootste klooster van Amerika: het dateert uit 1508, werd in

De oude stad van Santo Domingo stamt uit de tijd van de conquistadores

Santo Domingo

Bezienswaardigheden

1. Parque Colón
2. Catedral Santa María la Menor
3. Fortaleza Ozama
4. Alcázar de Colón
5. Dominicanenklooster
6. Montesinosmonument
7. Plaza Bartolomé de las Casas
8. Casa de Tostado/ Museo de la Familia Dominicana
9. Casa de Bastidas/ Museo Infantil Trampolín
10. Casa de Hernán Cortés
11. Hostal Nicolás de Ovando
12. Nationaal Pantheon
13. Museo de las Casas Reales
14. Casa del Cordón
15. Kloosterruïne San Francisco
16. Hospital San Nicolás de Bari
17. Plaza de la Cultura
18. Acuario Nacional
19. Faro a Colón
20. Edificio Baquero
21. Edificio Diez
22. Edificio Copello
23. Puerta del Conde
24. Altar de la Patria

Overnachten

1. Hostal Nómadas
2. Hotel Francés
3. Atarazana
4. Hostal Nicolás de Ovando
5. Hotel Palacio
6. El Beaterio

7. El Señorial
8. Plaza del Sol

Eten en drinken

1. Segafredo Zanetti Espresso
2. Restaurant El Conde
3. La Cafetera
4. Grand's
5. Mesón de Luis
6. Mesón D'Bari
7. La Casa de los Dulces
8. Museo del Jamón
9. Pat'e Palo
10. La Briciola
11. Adrian Tropical
12. Don Pepe

Winkelen

1. Galería Duendes del Caribe
2. Fábrica de Cigarros José Luís Taváres
3. Museo Mundo de Ambar
4. Columbus Plaza
5. Musicalia
6. Mapas Gaar
7. Arawak Galería de Arte

Uitgaan

1. Atarazana 9
2. Neux
3. Casa de Teatro
4. La Guácara Taína
5. Espiral
6. Teatro Nacional

1 Sporen van Columbus – in de oude stad van Santo Domingo

Kaart: ▶ G 5, stadsplattegrond: blz. 34

Natuurlijk weet u dat Christoffel Columbus als eerste Europeaan Hispaniola en daarmee de latere Dominicaanse Republiek betrad. Maar wist u ook dat Santo Domingo door zijn broer Bartolomeo werd gesticht? Dat beiden hier in een kerker zaten? Dat Columbus' zoon Diego later gouverneur van het eiland werd? En dat de vermeende overblijfselen van Columbus hier in 1992 werden bijgezet?

Christoffel Columbus (Cristóbal Colón in het Spaans) werd omstreeks 1451 in het Italiaanse Genua geboren en stierf in 1506 in het Spaanse Valladolid. De 'ontdekker van Amerika', die tot zijn dood geloofde eigenlijk een nieuwe zeeweg naar Indië te hebben gevonden, liet talrijke sporen achter op Hispaniola, vooral in Santo Domingo. Op zoek naar een identiteit eert de natie hem tegenwoordig als vader des vaderlands. Trek voor deze ontdekkersexcursie een halve dag uit. Alle bezienswaardigheden liggen op loopafstand van elkaar, met uitzondering van de Faro a Colón.

Parque Colón en Santa María la Menor

Het middelpunt van de oude stad is het **Parque Colón** 1, een van de mooiste pleinen van de republiek en ontmoetingspunt van verliefde stelletjes en wandelaars. In het midden staat een bronzen standbeeld van Columbus, die in 1496 opdracht gaf tot de stichting van La Nueva Isabela aan de oever van de Río Ozama: het latere Santo Domingo. Het beeld van de admiraal wijst naar het noorden, naar de kust waar hij het eerst aan land ging. De vier scheepsrompen op de hoeken van de sokkel symboliseren zijn vier reizen naar de 'Nieuwe Wereld' en de halfnaakte vrouwenfiguur aan Columbus' voeten is een Taíno-indiaan. Het tafereel doet cynisch aan, want de komst van Columbus betekende voor de oorspronkelijke bewoners slavernij en vernietiging.

Achter het Columbusbeeld staat de **Catedral Santa María la Menor** **2**, de oudste kerk van Amerika. Hier vond men in 1877 een kist met botten, waarop de naam 'Cristóbal Colón' stond. Hier ontstond het geschil, dat tot op heden duurt, waar de overblijfselen van Columbus zijn. Want in 1898 werden er botten die men ook voor de resten van Columbus hield van Havanna naar de kathedraal van Sevilla in het Spaanse Andalusië gebracht, waar ze tot op de dag van vandaag liggen. DNA-analyse heeft de echtheid van deze overblijfselen bevestigd, terwijl de Dominicaanse autoriteiten een DNA-test van 'hun Columbus' weigeren. Voor de 500e gedenkdag van de 'ontdekking van Amerika' werden de botten in 1992 in de Faro a Colón (zie blz. 36) bijgezet. Experts houden het voor mogelijk dat Columbus' resten zowel in Sevilla als Santo Domingo liggen, omdat geen van beide skeletten compleet is.

De kerk zelf heeft een compacte, gemengde architectuur met gotische en renaissancistische elementen. Hij werd in 1521 gesticht en in 1540 voltooid, maar de klokkentoren werd nooit afgebouwd. In 1586 bivakkeerde de Engelse (en anglicaanse) piraat Sir Francis Drake met zijn troepen in het heilige gebouw om het daarna te verwoesten. Tegenwoordig betreedt u de kerk door het noordportaal aan het Parque Colón. Binnen zijn vooral de veertien zijkappellen interessant, zoals die aan de noordwestkant met een beeld van de Virgen de Antigua uit 1523. Het naastgelegen westportaal werd in weelderige platereske stijl gebouwd.

Fortaleza Ozama **3**

Het in 1503 gebouwde Ozamafort was de eerste Europese vesting in Amerika.

Beklim de 18 m hoge toren en u begrijpt het belang van het complex: hiermee controleerde men de monding van de Río Ozama. In de loop der eeuwen wapperden hier onder meer de vlaggen van Spanje, Engeland, Frankrijk, Haïti en de VS.

De toren met zijn 2 m dikke muren diende ook als kerker. Hier werden Columbus en zijn broer Bartolomeo in 1500 gevangen gehouden. Ze waren opgepakt op bevel van de Spaanse koning, die zich ergerde over de toestand op het eiland, waar een machtsstrijd onder de kolonisten werd gevoerd. Bovendien had Columbus de oorspronkelijke bewoners in strijd met de instructies vanuit Madrid tot slaven gemaakt en waren de opbrengsten van het eiland veel geringer dan hij had beloofd. De broers werden in ketens naar Spanje gebracht, waar de koning hen vergiffenis schonk.

Alcázar de Colón **4**

In 1510 liet Columbus' zoon Diego dit kleine, maar indrukwekkende paleis door indiaanse dwangarbeiders in gotisch-moorse stijl bouwen. Ze gebruikten daarbij geen spijkers. Diego Colón was de onderkoning van Hispaniola en in zijn paleis bereidden de Spanjaarden de verdere verovering van Amerika voor. Een groot deel van zijn leven procedeerde Diego echter om de erfenis van zijn vader. Hij stierf in 1526 en vanaf het midden van de 16e eeuw raakte het gebouw in verval. In de 20e eeuw werd het meermalen gerenoveerd en omgevormd tot een museum met voorwerpen uit de beginjaren van de kolonie. Vooral bezienswaardig zijn de woon- en werkvertrekken op de bovenverdieping. Vraag om de meertalige, bij de entreeprijs inbegrepen audiogids, want er zijn verder geen informatieborden. In 2010 kozen de inwoners van Santo Domingo het paleis tot het meest geliefde historische monument van hun stad.

37

In deze zaal in het Alcázar de Colón woonde en werkte Columbus' zoon Diego

Faro a Colón 19

De Vuurtoren van Columbus is (naast de metro van Santo Domingo) het meest omstreden bouwwerk van de Dominicaanse Republiek. De conservatieve president Balaguer liet hem in 1992 ter gelegenheid van de 500e gedenkdag van de 'ontdekking van Amerika' bouwen. Hiervoor moesten echter 50.000 bewoners van een arme wijk plaatsmaken. De inwijding van het ongeveer 100 miljoen Amerikaanse dollar kostende monument werd bijgewoond door het Spaanse koninklijk paar, evenals paus Johannes Paulus II als vertegenwoordigers van de instituten die Columbus opdracht tot zijn beroemde reis hadden gegeven.

Het gebouw heeft de vorm van een liggend kruis: 240 m lang, 34 m breed en 46 m hoog. In het midden zijn de veronderstelde resten van Columbus bijgezet. Op het dak staan schijnwerpers, die een kruis van licht kunnen maken dat in Puerto Rico nog te zien moet zijn. 'Wanneer de vuurtoren aangaat, gaan bij ons de lichten uit', zo luidt een grap verwijzend naar het energietekort van het land. De musea in het kruis – waaronder een tentoonstelling over de bouw – zijn niet al te spannend. De Faro a Colón blijft echter interessant als een monument van dwaze machtspolitiek. Bovendien symboliseert hij de zoektocht van de Dominicanen naar een eigen identiteit.

Informatie

Catedral Santa María la Menor: bij het Parque Colón, dag. 9-16.30 uur, toegang gratis.
Fortaleza Ozama: Calle Las Damas, dag. 10-18 uur, RD$ 40.
Alcázar de Colón: Plaza España, di.-za. 9-17, zo. tot 16 uur, RD$ 100.

Faro a Colón: Parque Mirador del Este, ten oosten van de Río Ozama, di.-zo. 9-17 uur, RD$ 70. Rijd via de Av. Las Americas in oostelijke richting en ga bij de tweede grote kruising na de brug over de rivier zuidwaarts langs de Av. Faro a Colón. Eenvoudiger gaat het met de taxi.

1586 door Francis Drake in brand gestoken, en daarna door aardbevingen en orkanen verwoest. Later deed het dienst als krankzinnigengesticht. In de ruïne worden tegenwoordig concerten gehouden.

Hospital San Nicolás de Bari 🔟

Calle Hostos/Calle Luperón

Van het eerste ziekenhuis van Amerika (1503-1551) zijn nu alleen de resten nog maar te zien.

Plaza de la Cultura 🔟

Av. Máximo Gómez, ca. 2 km ten westen van de oude stad, di.-zo. 9-17.30 uur, RD$ 10-25

Op de brede Areal bevinden zich verscheidene musea, waaronder het **Museo del Arte Moderno** (Dominicaanse kunst uit de 20e eeuw) en het antropologische **Museo del Hombre Dominicano** met een tentoonstelling over de Taínos.

Acuario Nacional 🔟

Av. España, in de richting van de luchthaven, tel. 809 766 17 09, di.-zo. 9.30-17.30 uur, RD$ 50

Hoofdattractie is de onderwatertunnel, waar u door haaien, roggen en talrijke andere zeebewoners wordt omringd.

Calle Conde

In de beroemdste flaneerstraat van het land 🔟 - 🔟 moet u zeker even een wandelingetje maken, ② blz. 38.

Overnachten

Jong publiek – **Hostal Nómadas 🔟**: Calle Hostos 299/Calle Las Mercedes, tel. 809 689 00 57, www.hostalnomadas.com, 2 pk vanaf RD$ 1500 inclusief ontbijt. Voordelig, centraal gelegen hotel met acht aangename kamers en een toegewijd jong publiek. Ontbijt op het dakterras.

Koninklijk – **Hotel Francés 🔟**: Calle las Mercedes/Calle Arzobispo Meriño, tel. 809 685 93 31, www.mgallery.com, 2 pk vanaf US$ 190 inclusief ontbijt. Hotel in het voormalige woonhuis van de Spaanse koninklijke rentmeester. Met negentien luxueuze kamers, een patio en een restaurant.

Fantasierijk – **Atarazana 🔟**: Calle Vicente Celestino Duarte 19, tel. 809 688 36 93, www.hotel-atarazana.com, 2 pk vanaf RD$ 80 inclusief ontbijt. Fantasierijk ingericht hotel, niet ver van de Plaza España. Zes kamers met balkon. Zonneterras. Onder Duitse leiding.

Koloniaal – **Hostal Nicolás de Ovando 🔟**: Calle Las Damas, tel. 809 685 99 55, www.mgallery.com, 2 pk vanaf € 120 inclusief ontbijt. Dit vijfsterrenhotel met 104 kamers in het huis van de voormalige eilandgouverneur Nicolás de Ovando (1451-1511) heeft onder meer een zwembad met uitzicht op de rivier en een parkeerplaats.

Presidentieel – **Hotel Palacio 🔟**: Calle Duarte 106/Calle Salomé Ureña, tel. 809 682 47 30, www.hotel-palacio.com, 2 pk vanaf US$ 112 inclusief ontbijt. Een gerenoveerd stadspaleis met 35 kamers. Ooit behoorde het aan president Buenaventura Báez (1812-1884), die zijn land aan de VS wilde verkopen.

Stijlvol – **El Beaterio 🔟**: Calle Duarte 8, tel. 809 687 86 57, www.elbeaterio.es, 2 pk US$ 90 inclusief ontbijt. Acht stijlvolle, artististiek ingerichte kamers in een voormalig vrouwenklooster uit de 16e eeuw.

Correct – **El Señorial 🔟**: Calle Presidente Vicini Burgos 58, tel. 809 687 43 67, 2 pk vanaf US$ 65 inclusief ontbijt. Hotel onder Zwitserse leiding, op loopafstand van de oude stad. Twintig kamers, draadloos internet en een parkeerplaats. Kaasfondue in het restaurant. Kleurrijk publiek.

Sympathiek – **Plaza del Sol 🔟**: Av. José Contreras 25a, tel. 809 686 26 14, www.

② Vamos a condear! – een wandeling over de Calle Conde

Kaart: ▶ G 5, stadsplattegrond: blz. 34

Zoals iedereen in Nederland de Kalverstraat kent, zo kent elke Dominicaan de Conde. Het is de oudste winkelstraat van Santo Domingo en het enige voetgangersgebied van de stad. Zelden was de term slenterboulevard beter op zijn plaats.

Begin de wandeling aan de oostkant van de Calle Conde. Voor u ligt een van de levendigste kilometers van de hele republiek: het stedelijke alledaagse leven in al zijn Dominicaanse facettenrijkdom.

Straat van de diversiteit

Nog voor u het **Parque Colón** ■ bereikt, ziet u tussen de Calle Las Damas en de Calle Isabela La Católica enkele chique cafés en restaurants. Hier komt de *beau monde* van Santo Domingo, of zij die hier graag bij zouden willen horen. De koffie en croissants zijn in elk geval voortreffelijk, bijvoorbeeld bij **Segafredo Zanetti Espresso** ■.

Wie het liever iets mondainer heeft, gaat gewoon een straatje verder langs de toeristische koetsen en de tabakswinkels die het Parque Colón aan de noordkant omzomen. Op de hoek van de Calle Arzobispo Meriño ligt onmiskenbaar het beroemde restaurant **El Conde** ■. Dit is een van de populairste ontmoetingspunten van de stad en u kunt hier niet alleen ontbijten, maar ook lunchen en dineren. Zelfs wanneer u elders al beter gegeten hebt, kunt u nergens mooier van het uitzicht genieten dan hier. Door de schrijvers van Santo Domingo wordt de Conde vanwege zijn diverse publiek overigens ook wel het 'Huis van de schizofrenie' genoemd. Het waren waarschijnlijk dezelfde schrijvers die het werkwoord *condear* bedachten. Het laat zich het beste vertalen met: over de Calle Conde slenteren. *Vamos a condear!*

Straat van de architectuur

Steek de Calle Arzobispo Meriño over, links ziet u de bogen van het oude stadhuis. De Calle Conde werd in de 16e eeuw aangelegd, maar wordt nu gedomineerd voor 20e-eeuwse huizen, waaronder enkele prachtige art-nouveaugebouwen. Op de hoek van de Calle Hostos (tegenover het Mercure Hotel) ziet u bijvoorbeeld het fraaie **Edificio Baquero** 20 . Bij de voltooiing in 1928 was dit niet alleen het hoogste woonhuis van de stad, maar ook het enige met een lift. Het behoorde aan de uit Galicië afkomstige gebroeders Baquero, succesvolle zakenlieden. Schuin ertegenover ziet u een opvallend gebouw met veel verschillende soorten balkons. Het eclectische **Edificio Diez** 21 werd net als het Edificio Baquero door architect Benigno Trueba ontworpen en in 1929 voltooid. Helaas werden beide huizen slecht onderhouden. Ze vormen het bewijs hoe ruw de Dominicaanse autoriteiten met de schatten van hun land omgaan. Deze verwaarlozing is ook een reden waarom de betere zaken de Conde verlaten en zich in winkelcentra vestigen. Ze maken op enkele uitzonderingen na plaats voor veel goedkope winkels. Toch heeft de Calle Conde zijn charme tot op heden weten te behouden.

Straat van de kunstenaars en schrijvers

Het beste bewijs daarvoor is **La Cafetera** 3 . Het kleine café is sinds 1929 een soort tweede huis voor de kunstenaars en schrijvers van Santo Domingo. Ze waarderen het gebak en de voortreffelijke koffie, die hier nog zelf wordt gemalen en in papieren zakken wordt verkocht. Let u op een oudere heer met een kaal hoofd en een snor: Roque Félix, alias Don Roque, brengt al 60 jaar lang elke dag een bezoek aan het etablissement. Hij heeft hier alle

> **Overigens:** de naam Conde (in het Nederlands: graaf) is afkomstig van de nationale held gouverneur Bernardino de Meneses Bracamonte, de Conde de Peñalba, die zich in 1655 met succes tegen een Britse invasiemacht verzette. De Engelsen vielen Santo Domingo met 13.000 manschappen aan en trokken zich na hun smadelijke nederlaag terug op Jamaica.

belangrijke persoonlijkheden uit de recente Dominicaanse geschiedenis ontmoet. Bovendien beweert hij het nobele schaakspel in de Calle Conde te hebben geïntroduceerd. Tegen het vallen van de avond kunt u hier groepen mannen heftig debatterend rond een schaakbord zien staan.

Straat van de moderniteit

Enkele straten verderop, op de hoek van de Calle Sánchez, bevindt zich een uitstekend voorbeeld van moderne architectuur in Santo Domingo. Het **Edificio Copello** 22 , met zijn afgeronde zijgevel, werd ontworpen door de vader van de moderne Dominicaanse architectuur, Guillermo González Sánchez, en in 1939 geopend. Hier verbleef de constitutionele regering van de republiek tijdens de Amerikaanse invasie in 1965. Ook aan dit bijzondere gebouw wordt weinig aandacht besteed.

Het westelijke einde van de Conde wordt wederom door een café gedomineerd. Het **Grand's** 4 vormt een spiegelbeeld van restaurant El Conde: illustere gasten en een prachtig uitzicht op het straatleven. De cafetaria en bar is dag en nacht geopend, en serveert wanneer u maar wilt een ontbijt. Veel plaatselijke bewoners kennen het Grand's nog onder de oude naam Paco's. Hier werden enkele scènes uit de film *The Godfather II* opgenomen.

Romantiek op de Calle Conde

Straat van de helden

De Calle Conde eindigt aan de andere kant met de historische stadspoort, de **Puerta del Conde** 23 uit de 17e eeuw. Dit is een van de belangrijkste nationale symbolen. Hier werd in 1844 de Dominicaanse Republiek uitgeroepen en de eerste Dominicaanse vlag gehesen.

Ga door de poort naar het **Parque Independencia**. In het midden van het park ziet u het in 1933 gebouwde **Altar de la Patria** 24 (Altaar des vaderlands), waarin de resten van de nationale helden Duarte, Sánchez en Mella zijn bijgezet. Ze worden door drie kolossale standbeelden gerepresenteerd.

● ●

Informatie

Altar de la Patria: in het Parque Independencia, dag. geopend, toegang gratis.

Cafés en restaurants

Segafredo Zanetti Espresso 1 : Calle Conde 54/Calle Las Damas, ma.-do. 9-1, vr. en za.9-3 uur. Café en coole bar.
Restaurant El Conde 2 : Calle Conde/Calle Arzobispo Meriño, dag. geopend. De klassieker op de Conde voor het ontbijt, de lunch of het diner, of om gewoon een biertje te drinken.
La Cafetera 3 : Calle Conde 253, dag. geopend. Het schilderachtigste café op de Conde was het ontmoetings-

punt van Spaanse bannelingen in het Francotijdperk en schenkt de beste koffie van de Conde.
Grand's 4 : Calle Conde 516/Calle Palo Hincado, dag. en nacht geopend.

Winkelen

Musicalia 5 : Calle Conde 464/Calle Espaillat, dag. 9.30-18.30 uur. Grote keus aan originele (en niet illegaal gekopieerde) cd's met heerlijke Caribische muziek.
Mapas Gaar 6 : Calle Conde 502/Calle Espaillat, tel. 809 688 80 04, www.mapasgaar.com.do, ma.-vr. 8.30-17.30, za. 9-13 uur. Veel wegenkaarten van de Dominicaanse Republiek.

hotelplazadelsolsantodomingo.com, 2 pk vanaf US$ 45. Vriendelijke overnachtingsgelegenheid in de universiteitswijk. Eigendom van Jacqueline Guzmán, een dochter van de gezusters Mirabal, die samen tegen Trujillo streden (zie blz. 95). De 24 kamers beschikken over een kitchenette. Goede prijs-kwaliteitverhouding.

Eten en drinken

Cafés en restaurants in de **Calle Conde** 1 - 4 , zie blz. 38.

Ongecompliceerd – **Mesón de Luis** 5 : Calle Hostos 201, dag. 8-24 uur, hoofdseizoen rond RD$ 300. Traditionele zaak, waar u tot laat nog terecht kunt voor goedkope Creoolse gerechten.

Artistiek – **Mesón D'Bari** 6 : Calle Hostos 302, tel. 809 687 40 91, dag. 12-24 uur. Hier komen kunstenaars, van wie werken aan de wand hangen. Er wordt gekookt volgens familierecepten (bijvoorbeeld kreeft, RD$ 555). Tot de gasten behoort Robert de Niro.

Zoet – **La Casa de los Dulces** 7 : Calle Emiliano Tejera 106/Calle Arzobispo Meriño. Een enorme keus aan Dominicaanse taarten. Vraag of u iets mag proberen.

Sfeervol – **Museo del Jamón** 8 : Plaza España, tel. 809 688 96 44, dag. 11 uur tot laat. Binnen hangen hammen aan het plafond, buiten hebt u uitzicht op het plein. Wijn, tapas (vanaf RD$ 200) of paella (RD$ 400 p.p.). Donderdag, vrijdag en zondag flamenco.

Tafel met uitzicht – **Pat'e Palo** 9 : Plaza España, tel. 809 687 80 89, www.patepalo.com, ma.-do. vanaf 16.30, vr.-zo. vanaf 13.30 uur, hoofdseizoen rond RD$ 600. In de naar verluidt eerste taveerne van de Nieuwe Wereld (1505) kunt u van internationale gerechten genieten, maar serveert men ook gewoon van een biertje. Ontspannen sfeer.

Molto romantico – **La Briciola** 10 : Calle Arzobispo Meriño 152, tel. 809 688 50 55, www.labriciola.com.do, hoofdgerechten vanaf RD$ 600. Italiaanse gerechten op de binnenplaats onder begeleiding van pianomuziek.

Gelegen aan zee – **Adrián Tropical** 11 : Av. George Washington (Malecón) / Calle José Marís Heredia, tel. 809 221 17 64. De beste keus aan de Malecón. Creoolse gerechten tegen gemiddelde prijzen met uitzicht op zee.

Nog meer zee – **Don Pepe** 12 : Calle Porfirio Herrera 31/Calle Manuel de Jesús Troncoso, Piantini, tel. 809 563 44 40, www.donpepe.com.do, dag. 12-15, 19-24 uur, hoofdgerechten vanaf RD$ 700. Dit stijlvolle Spaanse restaurant aan de westkant van de oude stad is al meer dan twintig jaar populair bij de Dominicaanse elite.

Winkelen

In de wijken ten westen van de oude stad vindt u winkelcentra als de **Plaza Central** (Av. 27 de Febrero/Av. Winston Churchill). Kunst, souvenirs en sieraden worden verkocht in de galeries van de wijk **Atarazana** en in de **Avenida Mella**, beide ten noorden van de oude stad. Nog meer winkels vindt u in de **Calle Conde**, zie blz. 40.

Magisch – **Galería Duendes del Caribe** 1 : Calle General Cabral 17, tel. 809 686 50 73, ma.-za. 9-18 uur, duendesdelcaribe.blogspot.com. Werken van Dominicaanse en Haïtiaanse kunstenaars, die de eigenaar zelf opspoort.

Handgemaakt – **Fábrica de Cigarros José Luís Taváres** 2 : Calle Padre Billini 151, ma.-za. 9-18 uur. Zie hoe José Luís sigaren draait. Mooier dan de grote sigarenwinkels aan de Plaza Colón.

Amber – **Museo Mundo de Ámbar** 3 : Calle Arzobispo Meriño 452, tel. 809 682 33 09, www.amberworldmuseum.com, ma.-za. 9-18, za tot 14 uur. Informatie over de geschiedenis van de amber. In de winkel kunt u stenen kopen.

Souvenirsupermarkt – Columbus Plaza : Calle Arzobispo Meriño 206, ma.-za. 9.30-18, zo 11-14 uur. Enorme keus aan souvenirs op drie verdiepingen.

Plastisch – Arawak Galería de Arte : Calle Rafael A. Sánchez 53a, Piantini, tel. 809 565 36 14, www.artearawak.org, ma.-vr. 10-18 uur. Galerie met fraaie werken van Dominicaanse kunstenaars.

Uitgaan

Vanwege het nationale uitgaansverbod (zo.-do. tot 24 uur, vr. en za. tot 4 uur) beginnen de feesten niet al te laat. Vooraf gaat men naar een van de bars aan de **Plaza España**, in het **Parque Colón** of in het **Parque Duarte**.

De **Malecón**, ten zuiden van de oude stad, verandert in het weekend in een grote openluchtdiscotheek. Op de Plaza España vinden soms ook liveconcerten plaats.

Informeel – Atarazana 9 : Atarazana 9, vanaf 20 uur. Vriendelijke bar met discotheek (merengue, salsa, bachata) op de tweede verdieping. Naar Dominicaanse maatstaven aangenaam informeel.

Schilderachtig – Neux : Calle Duarte 53, vanaf 19.30 uur. Kleine bar onder Colombiaanse leiding. Hapjes en zeer sfeervol.

Bohemien – Casa de Teatro : Calle Arzobispo Meriño 110, tel. 809 689 34 30, www.casadeteatro.com, ma.-za. vanaf 9 uur (13-14.30 uur gesloten) tot laat. In het theater wordt bijne elke avond livemuziek gespeeld. Verder: bioscoop, toneel en galerie. In juni/juli is er een jazzfestival.

Ondergronds – La Guácara Taína : Av. Mirador Sur, wo.-zo. 20 uur tot laat. Legendarische discotheek in een grot met bombastisch geluid. Chic, curieus, duur.

Fusion – Espiral : Calle Luperón, do-za. vanaf 21 uur. Trendy bar/discotheek in de oude stad met liveconcerten. Rap, reggae, hip-hop.

De beste sigaren ter wereld: fabriek in Santo Domingo

Geen drugs!

De Dominicaanse Republiek is inmiddels een doorvoerland voor drugs geworden. Ongeveer tien procent van de cocaïne die jaarlijks de VS bereikt, wordt via het eiland getransporteerd. De goederen worden vanuit Zuid-Amerika aan land gebracht, verdeeld en verder verscheept. Hierbij blijven steeds meer drugs en drugsgeld in het land achter. Veel waarnemers spreken al van een 'drugsstaat'. Mocht u cocaïne worden aangeboden, weiger dan vriendelijk maar beslist. Door cocaïne aan te nemen steunt u niet alleen een criminele organisatie, maar loopt u ook het risico in de val te lopen. Een Dominicaanse gevangenis wilt u niet van binnen zien.

Hohe Kultur – **Teatro Nacional** ⑥: Plaza de la Cultura, tel. 809 687 31 91, kaartjes ma.-vr. 9.30-12.30, 15.30-18.30 uur, prijs RD$ 300-3000. Op het programma staan ballet, opera, klassieke concerten, musicals en toneelstukken. Informatie: www.santodomingo-live.com.

Sport en activiteiten

Prachtige natuur – **Los Tres Ojos:** Grotten met fascinerende meren. En dat midden in de stad ③ blz. 44.

Duiken – **Parque Nacional Submarino La Caleta:** Av. Las Américas, aan de weg naar de luchthaven. In het onderwaterpark zijn drie schepen afgezonken. Duikscholen in Boca Chica (zie blz. 48) brengen u er naartoe.

Honkbal kijken – **Estadio Quisqueya:** Av. Tiradentes/Calle San Cristóbal. Dit is het beroemde stadion van de Leones del Escogido (www.escogido.com) en de Tigres del Licey (www.licey.com). Het seizoen duurt van november t/m februari.

Golfen – **Cayacoa Country Club:** Cayacoa, tel. 809 561 72 88, dag. 7-18 uur. Neem de Carretera Duarte in de richting van Bonao. Na 18 km ligt de 18-holes-golfbaan aan de rechterkant.

Informatie en verkeer

Informatie: Secretaría de Turismo, Calle Isabel la Católica 103 (aan het Parque Colón), tel. 809 686 38 58, ma.-vr. 9-15 uur. Slecht uitgerust, slaperig personeel.

Luchthaven: Aeropuerto Las Américas, 22 km ten oosten van de stad, tel. 809 947 22 20, www.aerodom.com. Air France en KLM, tel. 809 686 84 32; Condor, tel. 809 689 96 25; Iberia, tel. 809 549 02 05; Martinair, tel. 809 540 53 43.

Streekbussen (verbindingen met de meeste grote plaatsen):

Caribe Tours: Av. 27 de Febrero/Av. Leopoldo Navarro, tel. 809 221 44 22, www.caribetours.com.do.

Metro: Av. Winston Churchill/Calle Hatuey, tel. 809 227 01 01, www.metroserviciosturisticos.com.

Expreso Bávaro: Av. Máximo Gómez/Calle Ramón Santana, tel. 809 682 96 70, verbindt Boca Chica, La Romana, Higüey en Bávaro.

Taxi: De wagens voor de internationale hotels rekenen een hogere prijs dan de radiotaxi's (Tecni Taxi, tel. 809 567 20 10; Apolo Taxi, tel. 809 537 00 00).

Autoverhuur: Alamo, Av. De Los Proceres 41, tel. 809 562 14 44; Europcar, Av. Independencia 354, tel. 809 688 21 21; Thrifty, Lope de Vega 80, tel. 809 333 40 00.

Agenda

Carnaval: feb./maart. Optocht met *diablos* op de Malecón.

Festival de Merengue: eind juli/begin aug. Drie dagen lang spelen er fantastische merenguebands op de bekende Malecón.

③ Een speling van de natuur – Los Tres Ojos

Kaart: ▶ G 5
Plaats: Ongeveer 5 km ten oosten van de oude stad van Santo Domingo

Ze vormen een bizar landschap: vier onder het aardoppervlak gelegen, maar naar boven open meren, omgeven door rotsen en tropische vegetatie. Tussen de slingerplanten, stalactieten en vleermuizen zou u helemaal vergeten dat u nog steeds in Santo Domingo bent. Eerder doet de omgeving denken aan een reusachtig terrarium.

Los Tres Ojos – de drie ogen – ontstonden door een ineenstorting van verschillende grottensystemen. Hoewel de naam anders doet vermoeden, gaat het niet om drie, maar om vier meren. Ze vormden al een heiligdom voor de oorspronkelijke Taíno-bewoners en boden later een toevluchtsoord aan de Spanjaarden. Pas in 1916 werden ze herontdekt. Tientallen jaren lang daalden moedige Dominicanen hier af om in het kristalheldere water te baden. De meren worden gevoed door de ondergrondse Río Brujuela.

In 1972 maakte men treden in de rotsen en werd het grottenlandschap toegankelijk voor het grote publiek. Tegenwoordig is het onderdeel van het **Parque Mirador del Este** en ligt het in het verlengde van de Faro a Colón. Op slechts enkele meters afstand ligt de snelweg naar de luchthaven.

Lago de Azufre

Het eerste meer dat u na de afdaling bereikt, is het Lago de Azufre, het zwavelmeer. Hij bevat echter geen stinkende zwavel, maar heeft eerder een hoog percentage calciumcarbonaat. Het meer, dat half verscholen onder een rotswand ligt, heeft een betoverende, blauw-groene schittering.

Hoewel je zou denken dat het hier tussen de rotsen onder het aardoppervlak koeler moet zijn dan boven, is het tegendeel waar: de hitte doet denken aan een wasruimte en de luchtvochtigheid bedraagt maar liefst 95 procent. Daarmee is het microklimaat vergelijkbaar met een tropisch regenwoud.

La Nevera

Het tweede meer heet La Nevera – de koelkast – wat natuurlijk weer een typisch Dominicaanse overdrijving is. Aangezien het water van het meer nooit door de zon wordt beschenen, heeft het 'slechts' een temperatuur van ongeveer 20 °C. Een kleine, met de hand aangedreven veerboot (door de veerman gekscherend 'Dominicaanse *Titanic*' genoemd, brengt u van hier naar het vierde meer (Los Zaramaguyones, zie hieronder). Dit kost RD$ 20. Af en toe springen er Dominicaanse 'klifspringers' van een rots in het bijna 6 m diepe water.

Lago de las Damas

Het derde meer, een beetje verstopt gelegen, is weinig spectaculair. Het heet het Damesmeer, omdat vrouwen zich hier afgezonderd van de mannen wasten. De Tres Ojos fungeerden immers ooit als badhuis. Met ongeveer 2 m heeft dit 'oog' de geringste diepte.

Los Zaramaguyones

Het vierde, grootste en mooiste meer is het Zaramaguyones, genoemd naar de eendensoort die hier leeft. U komt er via

> **Overigens:** vlak voor de uitgang bevindt zich een opvallende rots, waar gidsen hun groep graag op wijzen. Deze rots heeft de vorm van een dolfijn. De beslissing of de 'dolfijn' natuurlijk is, zoals de gidsen beweren, of kunstmatig wordt aan u overgelaten.

het meer La Nevera en een druipsteengrot vol stalactieten en stalagmieten. Naar verluidt werd het 16 m onder het aardoppervlak gelegen meer pas ontdekt toen het park zijn naam al had gekregen. Uit de ronde vorm valt af te leiden dat het hier om een voormalige vulkaankrater gaat. Op de steil afdalende oevers van het meer groeit een weelderige tropische vegetatie. Er wordt vaak beweerd dat hier krokodillen leven. Het fonkelende meer heeft een fraaie blauw-groene gloed.

Wonderlijke planten

Bij het verlaten van de Tres Ojos zal u zeker een exotische plant opvallen. Hij is te herkennen aan zijn met doorns bedekte stengel. Wanneer de vruchten van de plant rijp zijn, 'exploderen' ze met een luide knal, waarmee de zaden tot 40 m verder worden verspreid. Het melksap van deze bijzondere plant werd door de oorspronkelijke bewoners van de Dominicaanse Republiek als pijl- en vissengif gebruikt.

Informatie

Parque Mirador del Este, Los Tres Ojos 1: direct gelegen aan de Av. Las Américas, toegang tot de meren dag. 8-17.30 uur, entreeprijs RD$ 50, RD$ 20 extra als u met de houten veerboot van het tweede meer, La Nevera, naar het vierde meer wilt worden overgezet.

Het zuidoosten van de Dominicaanse Republiek is wat aantallen betreft de populairste regio van het land. Op de luchthaven van Punta Cana worden jaarlijks vier miljoen passagiers afgehandeld. De meesten blijven in de all-inclusivehotels aan de oostkant. Wanneer u de toeristische enclave verlaat, komt u echter in een heel andere wereld: in de zinderende hitte op het platteland snijden Haïtiaanse arbeiders suikerriet. Aan de zuidkust ten oosten van Santo Domingo wisselen badplaatsen en industriesteden elkaar af.

Boca Chica ▶ H 5

Ooit was Boca Chica (100.000 inwoners) een vissersdorp. Tegenwoordig is het een toeristische bestemming met de nadruk op uitgaansgelegenheden. De zee is hier kalm en nergens dieper dan 1.50 m. Boca Chica wordt ook wel het 'bad van Santo Domingo' genoemd. In het weekend komen er hele drommen inwoners uit de hoofdstad.

Overnachten

Betrouwbaar – **Mango:** Calle A. Valenzuela 2, tel. 809 523 64 77, www.hotel mango.com. Onopvallend hotel met 32 fatsoenlijke kamers. Onder Italiaanse leiding. Vanaf US$ 35 voor 2 personen.

Als de dictator toch eens wist – **Oasis Hamaca:** Calle Duarte 1, tel. 809 523 46 11, www.oasishamaca.com, 2 pk vanaf US$ 124. De voormalige Villa Trujillo werd verbouwd tot een all-inclusivecomplex met 589 kamers en een luxueus casino.

Eten en drinken

Allemaal kaas – **Pequeña Suiza:** Calle Duarte 56, tel. 809 523 46 19, dag. 9-24 uur. Op de binnenplaats serveert de Zwitser Stefano gerechten uit zijn vaderland, bijvoorbeeld fondue met zeevruchten. Ongeveer RD$ 620 p.p.

Boven het water – **Neptuno's:** Verlengde Calle Duarte 12, Tel 809 523 94 19, dag. 12-24 uur. De ligging op een plateau boven de zee compenseert de gelikte sfeer. Het gebruikelijke aanbod. Hoofdgerecht vanaf RD$ 600.

Uitgaan

Op kroegentocht – **Calle Duarte:** Het uitgaansgebied waar de bars en discotheken zich aaneen rijgen.

Sport en activiteiten

Duiken – **Treasure Divers:** in het Don Juan Beach Resort, tel. 809 523 53 20, www.treasure-divers.eu, duik inclusief uitrusting US$ 47. Verschillende locaties, waaronder de wrakken van La Caleta.

Vervoer

Guaguas: naar Santo Domingo bij het Parque Central; in oostelijke richting bij de Autopista Las Américas.

Guayacanes en Juan Dolio ▶ J 6

Guayacanes en Juan Dolio gaan bijna naadloos in elkaar over. Het leven concentreert zich in all-inclusive-resorts aan de oostkant. Een alternatief ontmoetingspunt is de Playa Juan Dolio, met enkele bars en restaurants. Onlangs zijn er hotelcomplexen gebouwd, waarvan een met zeventien verdiepingen.

Overnachten

Geëngageerd – **Fior di Loto:** Calle Central 517, tel. 809 526 11 46, 2 pk US$ 15-45, ontbijt RD$ 120. Het mooiste overnachtingsadres van de stad met 22 kamers. Onder leiding van de Italiaanse Mara, die een stichting voor behoeftige meisjes heeft opgezet.

Standaard – **Barceló Capella Beach Resort:** Carretera Nueva, tel. 809 526 10 80, www.barcelocapella.com, 2 pk vanaf US$ 110. All-inclusiveresort met de gebruikelijke faciliteiten.

Eten en drinken

Eigengemaakte pasta – **El Sueño:** Calle Principal, naast El Bambú, tel. 809 526 39 03, di.-zo. 12-15.30, 19-22 uur. Hoofdgerechten RD$ 180-300, eigengemaakte pasta en pizza vanaf RD$ 380.

Eindelijk goede wijn! – **Deli Swiss:** Calle Central 338, tel. 809 526 12 26, di.-zo. 9-23 uur. Aan zee serveert de Zwitserse Walter Kleinert vis- en vleesgerechten (ongeveer RD$ 500). Uitgebreide wijnkaart. Reserveren!

Sport en activiteiten

Duiken – **Neptuno Dive:** in het Barceló Capella Beach Resort, tel. 809 526 20 05, www.neptunodive.com. Rif-, wrak- en grotduiken. Driemaal duiken voor US$ 99.

Vervoer

Guaguas: minibussen passeren Juan Dolio zowel in oostelijke als westelijke richting.

San Pedro de Macorís ▶ J 5/6

Aan het begin van de 20e eeuw was San Pedro de Macorís (220.000 inwoners) een welvarende suikerstad. Tegenwoordig verkeren de herenhuizen in een charmant vervallen staat. Ze werden gebouwd door zwarte immigranten van de zuidelijke Antillen, de 'Cocolos'.

De kathedraal San Pedro Apóstol is het belangrijkste monument van San Pedro de Macorís

Het zuidoosten

Het belangrijkste monument van de stad is de glanzend witte, in 1856 voltooide **Catedral San Pedro Apóstol** (Av. Domínguez Charro, in de buurt van de Av. Independencia) aan de Río Higuamo. Beroemd is San Pedro de Macorís om zijn feestelijke processies en honkbalteam.

Overnachten en eten

Aan de top – **Hotel Macorís:** Calle Gastón F. Deligne (Malecón), tel. 809 339 21 00, www.hotelmacorix.com, 2 personen vanaf US$ 81. Het grootste hotel van de stad met 170 kamers, 3 restaurants, een zwembad, een tennisbaan en een discotheek. Vanaf 12.30 uur vindt in de tuin het grote middagbuffet plaats, waaraan ook niet-hotelgasten kunnen deelnemen (RD$ 284 inclusief drankjes).

Winkelen

Rookwaren – **Macorís Cigars:** Calle Duarte 9/Av. Charro, ma.-vr. 9-17 uur. Kleine sigarenfabriek in een historisch pakhuis.

Vlechtwerk – **Alex Muebles:** Av. 27 de Febrero/Calle María Trinidad Sánchez, tel. 809 973 31 12, ma.-za. 8-12, 14-18 uur. Voor een Caribische schommelstoel van riet betaalt u ongeveer RD$ 3500.

Sport en activiteiten

Honkbal – **Estadio Tetelo Vargas:** Av. Caamaño/Calle Laureano Cano. Hier spelen de Estrellas Orientales, www.estrellasorientales.com.do
Kaarten vanaf RD$ 50. Seizoen half nov.-begin feb.

Vervoer

Guaguas: minibussen naar Santo Domingo (50 minuten, RD$ 100) vanaf de Av. Caamaño/General Cabral; naar het oosten vanaf het Parque Duarte.

Agenda

Carnaval: feb./maart Karakteristiek zijn de kleurrijke *guloyas,* waarvan de dansen aan de bevrijding van de slaven herinneren.
Feest van de patroonheilige San Pedro: 29 juni.

In de omgeving

Aan de weg naar La Romana ligt de schitterende **Cueva de Maravillas,** ④ blz. 49.

La Romana ▶ K 6

La Romana (220.000 inwoners) is een van de meest dynamische steden van het land. Het dankt zijn groei aan de vrijhandelszone en het concern Central Romana, dat de grootste suikerfabriek van de Dominicaanse Republiek heeft (zie blz. 52). Aan de rand van de stad ligt de luxueuze nederzetting Casa de Campo met het toeristendorp Altos de Chavón (zie blz. 53).

Overnachten

Voor passanten – **River View:** Calle Restauración 17, tel. 809 556 11 81, 2 pk RD$ 1200. Aangenaam hotel met 38 kamers en een goede prijs-kwaliteitverhouding. Bewaakte parkeerplaats.

Voor welgestelden – **Casa de Campo:** Av. Libertad in oostelijke richting, gemarkeerd, www.casadecampo.cc, tel. 809 523 33 33, 2 pk vanaf US$ 195 (laagseizoen). Fraai resort met 250 kamers en 100 villa's. Het 28 km² grote terrein omvat onder meer een jachthaven, drie golfbanen, een schietbaan en een polobaan.

Eten en drinken

Net als thuis – **Trigo de Oro:** Calle Eugenio A. Miranda 9, tel. 809 550 56 50, ma.-za. 7-21, zo. 7-13 uur. Cappuccino en perziktaart in de tuin.

Mofongorestaurant – **Arte Caribe:** Calle Altagracia 15/Calle Castillo Márquez, tel. 809 556 34 36, dag. 11-23 uur. Sympathiek restaurant in een rood houten

4 Onderaardse sprookjeswereld – La Cueva de Maravillas

Kaart: ▶ K 6
Plaats: Ongeveer halverwege San Pedro de Macorís en La Romana

De naam is zeker niet overdreven: Cueva de Maravillas – Grot van de wonderen. Binnen ziet u fabelachtig gevormde rotspilaren, spiegelende reservoirs en honderden grottekeningen, gemaakt door de oorspronkelijke bewoners van het eiland. Dit alles is zo prachtig toegankelijk gemaakt – met trappen, gangen en vooral ook een schitterende verlichting –, dat er werkelijk van een wonder kan worden gesproken.

In 1926 ontdekten een paar padvinders de toegang van de 2 km lange grot, maar pas in het jaar 2000 begon men een 800 m lange sectie voor het grote publiek toegankelijk te maken. De werkzaamheden duurden tot 2003 en voor het spectaculaire resultaat ontvingen de architecten de gouden medaille voor landschapsarchitectuur op de Biennale in Miami.

Bizarre onderwaterwereld

Het betreden van de grot is strikt gereglementeerd en alleen toegestaan onder begeleiding van een gids, die u vanaf het bezoekerscentrum vergezelt. Een goed beveiligde trap voert naar beneden, waar de grot u al spoedig als een bizar gevormde onderwaterwereld omsluit. Dit deel van het eiland dook ongeveer 100.000 jaar geleden uit de oceaan op en de grot ontstond hoofdzakelijk onder invloed van de zee.

De architecten van de grot hebben een 300 m lang gangensysteem aangelegd, dat door zijn randverlichting als een netwerk van wegen werkt. Verder zijn de afzonderlijke secties van de grot uitgerust met bewegingssensoren, zodat als op een toneelpodium telkens andere delen worden belicht. Binnen in de grot is het constant 19 °C, maar verder heerst er een extreem hoge luchtvochtigheid. Fotograferen is hier officieel verboden.

Overigens: oorspronkelijk was het Centro al Visitante, dat u aan het eind van de bezichtiging bereikt, als een museum gepland. Omdat er echter water in de stijlvol met marmer ingerichte ruimte doordrong, staat hij nu leeg. Bij de heropening van de grot werd hier een klassiek concert gehouden.

Fantastische vormen

Aan het begin wordt u aan uw rechterhand naar een indrukwekkend grote, kathedraalachtige ruimte gevoerd. Deze wordt **El Castillo** (het kasteel) genoemd en is 25 m hoog. Overal hoort u water druppelen en boomwortels breken op zoek naar vocht door het plafond. Daardoor veranderen de extreem veel calciumcarbonaathoudende rotsen voortdurend van vorm.

Direct bij de ingang zijn u vast en zeker de prachtige stalagmieten en stalactieten opgevallen. Ze worden in 150 jaar 2,5 cm langer en hebben daarmee ongeveer 1500 jaar nodig om elkaar te ontmoeten.

Er is niet veel fantasie voor nodig om de figuren uit de bizarre schilderijen van de laatmiddeleeuwse kunstenaar Jeroen Bosch in de rotsen te herkennen: gebochelde dwergen, enorme paddenstoelen, griezelige hermafrodieten. Het indrukwekkendst van allemaal is misschien wel de monsterlijke zuil, die in 1968 werd ontdekt en zeer passend **Cabeza del Dragon** (drakenkop) werd gedoopt.

Dodencultus

Een andere bijzonderheid zijn de 472 **grotschilderingen** en 19 **rotstekeningen**, die de Taíno-indianen hier hebben achtergelaten. De opvallend grote tekeningen verbeelden goden en dieren, waaronder uilen en vleermuizen. Hun ouderdom wordt op 500 tot 800 jaar geschat. Je zou bijna denken dat de Taínos zeer vrolijke mensen waren, want veel van de voorgestelde figuren schijnen te lachen of te grijzen. Enkele beelden zijn echter vervalsingen uit de tijd dat de grot onbeschermd lag en voor iedereen toegankelijk was. Archeologen menen dat de Taínos de grot in de eerste plaats voor hun dodencultus gebruikten.

Een spiegel met tanden

Het volgende hoogtepunt is een kleine, kapelachtige ruimte met een eigen waterreservoir. Het wateroppervlakte ligt er zo onbewegelijk bij, dat u zich erin kunt spiegelen. Deze zaal wordt **El Espejo del Agua** (de waterspiegel) genoemd. Rond het reservoir sluit zich als een gapende muil een bedrieglijk werkende wand van rotsen.

Aan het eind van de rondleiding gaat u met een door het Japanse ministerie van Ontwikkelingshulp gefinancierde lift naar boven, waar u in het Centro al Visitante alle indrukken nog even kunt laten bezinken.

Informatie

Cueva de Maravillas 🔢: de grot bevindt zich ongeveer 20 km ten oosten van San Pedro de Macorís aan de weg naar La Romana. Hij ligt direct aan de Carretera 3 en wordt vandaar aangegeven. di.-zo. 9-17 uur, rondleiding met een gids, ca. 45 minuten, RD$ 300, kinderen RD$ 50 (incl. gids).

Altos de Chavón

Het kunstenaarsdorp Altos de Chavón in het complex Casa de Campo aan de rand van de stad La Romana (zie blz. 50, www.casadecampo.com.do/altos-de-chavon, US$ 25) is de uitgekomen droom van Charles Bluhdorn, ooit chef van het Gulf+Westernconcern, de eigenaar van de Central-Romanasuikerfabriek. In de jaren '70 liet hij in het luxeueze reort Casa de Campo een replica van een Toscaans dorp uit de 17e eeuw bouwen: met keien geplaveide stegen, pleintjes met fonteinen. In het **amfitheater**, met plaats voor 5000 toeschouwers, treden internationale sterren op (openingsconcert in 1982: Frank Sinatra). Ter inwijding van de kerk **San Estanislao** stuurde paus Johannes Paulus II de as van de heilige Stanislaus. Het **Archeologisch Museum** heeft een goede verzameling pre-Columbiaanse voorwerpen. Vanhier hebt u een mooi uitzicht op de Río Chavón, waar scènes uit *Apocalypse Now* (1979) werden gedraaid.

Voor Italiaanse gerechten, maar niet goedkoop, gaat u naar restaurant **La Piazzetta** (ma.-vr. 18-23 uur; heren: lange boek en overhemd!). Bij **Onno's** (dag. 8 uur tot laat) kunt u uit meer dan 100 tropische drankjes kiezen. Tot de vroege uurtjes kan hier worden gedanst.

Souvenirs vindt u onder meer in de **Altos de Chavón Art Studios** (dag. 9-17 uur), waar de Frans-Italiaanse ontwerper Emilio Robba, die aan de kunststudio's doceert, aardewerk en zeefdrukken maakt, en in de **Tienda Batey** (dag. 8-20.45 uur), met borduurwerk uit de *bateyes*.

huis. De specialiteit is mofongo (bakbanaan, varkensvlees, knoflook, olie), vanaf RD$ 200.

Pizza en een fraai panorama – **Pizzeria al Río:** Calle Restauración 43, tel. 809 550 91 09, wo.-ma. 8-15, 18-23 uur. Italiaanse gerechten met uitzicht op de rivier. Pizza vanaf RD$ 200.

Informatie en vervoer

Internet: www.explorelaromana.com.
Streekbussen/guaguas: minibussen en Expreso-Bávarobussen rijden vanaf de noordkant van het Parque Central (naar Bayahibe ook de Av. Libertad/Restauración) in oostelijke richting. Naar het westen gaat u met Sichoem Express, iets buiten de stad.
Luchthaven: Aeropuerto La Romana/Casa de Campo, 10 km naar het oosten, tel. 809 556 55 65, www.centralromana.com.do. Charterluchthaven voor gasten van Casa de Campo, enkele reguliere luchtvaartmaatschappijen.

Agenda

Carnaval: feb./maart. Een van de grootste feesten van het land met een groot aantal personages, onder wie *brujas* (heksen), *maricutanas* (mannen in vrouwenkleden), *monos* (apen) en *indios* (indianen).

In de omgeving

Vanuit La Romana kunt u een interessante dagtocht maken naar de **suikerrietvelden** (5 blz. 54).

Bayahibe ▶ L 6

Dit vissersdorp (2000 inwoners) gold lange tijd als geheime tip onder duikliefhebbers. Ondertussen is het, net als een klein Gallisch dorp, omgeven door all-inclusivecomplexen. Ten oosten ervan ligt het resort Dominicus Americanus. 's Morgens komen er tourbussen met dagjesmensen die naar het eiland Saona worden gebracht. 's Avonds behoort

⑤ Achter het paradijs – Rit door de suikerrietvelden

Kaart: ▶ J/K 5/6
Duur: 1 dag, rondrit: ongeveer 180 km vanaf La Romana

Columbus kon de gevolgen niet overzien toen hij in 1493 een paar suikerrietplanten naar Hispaniola bracht. De eerste plantages lagen aan de basis van de suikerrietteelt in het Caribisch gebied en markeerden het begin van het eerste mondiale handelssysteem: In Europa werd de suiker verkocht en vanuit Afrika werden hier slaven naartoe gebracht. Tegenwoordig domineert het suikerriet nog steeds de uitgestrekte vlakten van de oostelijke Dominicaanse Republiek. Een rit erheen is als een reis naar het verleden van het eiland – nog altijd leeft de bevolking er onder zware omstandigheden.

Voor deze rondrit hebt u een eigen auto, plus een avontuurlijke instelling nodig. Aangezien er geen gedetailleerde wegenkaart is, is het handig om een beetje Spaans of Frans te kunnen spreken.

Voor de globale oriëntatie is het natuurlijk prettig om een kaart van het land bij u te hebben.

De grootste suikerfabriek ter wereld

De Dominicaanse Republiek werd pas laat door de suikerindustrie ontdekt. Vanaf 1870 (en daarmee 300 jaar later dan in de rest van het Caribisch gebied) begonnen Noord-Amerikaanse suikerconcerns hier met de grootschalige suikerrietteelt. In 1912 werd de firma **Central Romana** 1 opgericht, die in de gelijknamige stad de grootste suikerfabriek ter wereld bouwde. Het gigantische complex strekt zich ten zuiden van de Avenida Libertad voor u uit. Wanneer er rook opstijgt, is de suikerproductie in volle gang. De Central Romana Ltd. is tegenwoordig een van de drie ondernemingen die de suikerrietteelt in het land controleren. Het conglomeraat is in handen van de Cubaans-Amerikaanse

Fanjulclan, die ook het luxueuze resort Casa de Campo (zie blz. 50) bezit. Met 25.000 werknemers is Central Romana tevens de grootste particuliere werkgever en met 97.000 ha land ook de grootste grondbezitter van de Dominicaanse Republiek. Het bedrijf is eigenaar van de velden waar u tijdens deze excursie doorheen rijdt. En voor dit concern zijn de arbeiders werkzaam die voor een paar peso op de velden staan. Ze leven in door de onderneming opgezette nederzettingen, de *bateyes*.

De Bateyes

Zoals wel vaker in de Dominicaanse Republiek liggen rijkdom en armoede dicht bij elkaar. De excursie voert langs de Carretera 3 in de richting van Bayahibe. Eerst passeert u de toegangsweg tot het exclusieve vakantieoord Casa de Campo. Wanneer de weg kort daarop een bocht naar rechts maakt, rijdt u rechtdoor verder over een onverhard pad. Volg deze route naar rechts en neem dan de tweede weg naar links. Nu bent u midden in het suikergebied terechtgekomen: *caña,* zoals het in het Spaans wordt genoemd, tot aan de horizon en tussen de glinsterende groene planten kleurrijk geklede arbeiders. Een ogenschijnlijk landelijke idylle. Wanneer u rechtdoor rijdt, bereikt u **Batey Cacata 2**. In deze armoedige nederzetting wonen de suikerrietsnijders, van wie de goedkope arbeidskracht de financiering van het Casa-de-Campocomplex mogelijk maakte.

Buig in de nederzetting rechtsaf. Hier leven in identieke stenen huizen enkele honderden van de tienduizenden overwegend Haïtiaanse arbeiders, die hier elk jaar voor de suikerrietoogst naartoe komen. Velen van hen zijn *congos,* wat betekent dat ze voor de eerste keer suikerriet kappen.

De *zafra* genoemde oogst begint op zijn vroegst in december. Veel van de werknemers worden dan door 'arbeidsbemiddelaars' illegaal over de grens gesmokkeld. Zo is het de suikerbaronnen gelukt een goedkoop leger van arbeidskrachten op te bouwen. Je zou het ook gewoon moderne slavernij kunnen noemen. De arbeiders verdienen ongeveer € 2 per gesneden ton. Hoeveel iemand snijdt, hangt af van zijn lichamelijke kracht en vaardigheden. Leen een machete en probeer zelf eens een tot 3 m hoge stengel om te kappen. En stel u dan eens voor dat u dit werk elke dag van zonsopkomst tot zonsondergang moet doen. Net als de arbeiders in rubberen laarzen en een lange broek. Het suikerriet heeft altijd zeer weinig mensen zeer rijk en zeer veel mensen zeer arm gemaakt.

Monocultuur van suikerriet

Achter Batey Cacata maakt de weg een bocht naar links in noordelijke richting (naar de bergen, een mooi oriënteringspunt). Steek niet de spoorrails over. Kort daarop bereikt u een klein benzinestation waar tractors komen tanken, **Batey Santon 3**.

Daal nu rechtdoor af naar het bos. Rechts van u ligt een spoorbaan, die u kort ziet wanneer een hoge brug verschijnt. Voorbij het bos houdt u vervolgens links aan en rijdt u parallel aan de spoorbaan. U passeert nu de kleine **Batey Culebra 4** en **Batey Higo Claro 5**. Kort daarop bereikt u een van de spoor-

> **Overigens:** wanneer u tijdens de Semana Santa reist, zult u vast en zeker groepen gekostumeerde muzikanten ontmoeten die dansend door de straten trekken. Dit zijn rarabands. Hun fluiten worden *vaksin* genoemd, hun trompetten *fututus* en *konéts.* De bands blijven regelmatig op kruispunten staan. Daar wonen de goden.

Schijnbaar landelijke idylle bij het suikerrietoverslagstation Batey Claro

rails, die gelijkmatig over de vlakte zijn verdeeld.

Hier kunt u het laden bekijken van het suikerriet op de wagons, die in lange rijen in de richting van La Romana staan. Verder krijgt u hier een goed beeld van de uitgestrektheid van de monocultuur. De overvloed geeft echter een verkeerde indruk. Suiker is al lang niet meer zo belangrijk voor de Dominicaanse economie als in de 20e eeuw. Het toerisme en de vele vrijhandelszones hebben de landbouw als belangrijkste economische factor vervangen. In 1982 was het land met een jaarproductie van 1,2 miljoen ton de op drie na grootste suikerproducent ter wereld. Nu wordt er nog slechts 500,000 ton geproduceerd (Brazilië staat op nummer één met 24 miljoen ton).

Rechteloosheid en kinderarbeid

Blijf op het pad dat langs het laadstation voert en spoedig naar links afbuigt. U komt nu in **Batey Milagrosa** 6.

Misschien zijn u de patrouillerende terreinwagens opgevallen. Vaak worden de *bateyes* gecontroleerd door veiligheidsdiensten, die optreden tegen

vakbondsleden. 'Het ergste is de rechteloosheid', zegt een arbeider. Naar schatting leven er 280.000 Haïtianen zonder papieren in de Dominicaanse Republiek. Zelfs als ze hier geboren zijn, krijgen ze geen geboorteakte. Waarnemers houden deze discriminatie voor puur racisme. Hoewel ze zelf van zwarte afkomst zijn, hebben veel Dominicanen wraakgevoelens die teruggaan op de Haïtiaanse bezetting in de 19e eeuw. De Haïtianen vertrouwen op hun beurt de Dominicanen niet. In hun collectieve herinnering is het bloedbad van 1937 verankerd, waarbij dictator Trujillo alle Haïtianen langs de grens liet vermoorden. In de *bateyes* wonen nu zo'n 650.000 mensen, onder wie duizenden stateloze kinderen.

Miljoenendans

Ga aan de rand van Milagrosa naar rechts en volg het pad. U passeert **Batey Santa Rosa** 7 en komt bij **Batey Ochenta** 8 weer op een verharde weg. Voor u ligt **Guayamate**. U rijdt over de verharde weg echter direct naar rechts in noordelijke richting. Het landschap wordt nu heuveliger en u bereikt de Carretera 4. Sla linksaf naar **El Seíbo** en ga verder naar **Hato Mayor**, waar u de weg in de richting van **San Pedro de Macorís** volgt. De laatste plaats was aan het begin van de 20e eeuw een centrum van de suikerhausse. In een toespeling op de astronomische winsten van de suikerbaronnen sprak men destijds van een 'miljoenendans'.

Informatie

Route: La Romana – Batey Cacata (ongeveer 9 km), Batey Claro (ongeveer 8 km), Batey Milagrosa (ongeveer 5 km), Batey Santa Rosa (ongeveer 2 km), Batey Ochenta (ongeveer 6 km), Guaymate (ongeveer 2 km), El Seibo (ongeveer 29 km), Hato Mayor (ongeveer 24 km), San Pedro de Macorís ongeveer 39 km), La Romana (ongeveer 54 km).

Georganiseerde excursie

Seavis in Bayahibe (zie blz. 53) organiseert 'trucksafari's' met een bezoek aan de *bateyes*, US$ 70 p.p.

NGO's

Twee NGO's die betrokken zijn bij de *bateyes*: www.bateyrelief.org (richt zich op kinderen en gezondheidszorg in de armste delen van het Caribisch gebied), www.bateylibertad.wordpress.com (ondersteunt educatieve projecten en mensenrechtenorganisaties).

Achtergrond

De interessante documentaires *Sugar Babies* (2007) en *The Price of Sugar* (2007) geven een goede indruk van de omstandigheden op de suikerrietvelden.

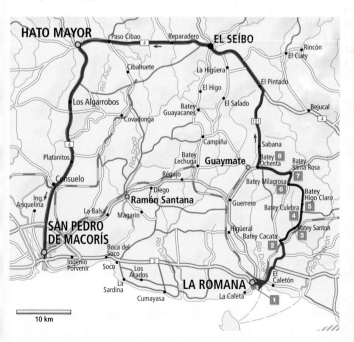

Het zuidoosten

Bayahibe aan de plaatselijke bewoners, Italiaanse immigranten en een paar individuele reizigers. Er zijn goede overnachtingsgelegenheden, leuke restaurants en twee duikscholen.

Overnachten

Intrinsieke waarde – **Bayahibe:** Calle Principal, tel. 809 833 01 59, www.hotel bayahibe.net, 2 pk RD$ 1700. Voordelig hotel met 26 ruime kamers. Van binnen beter dan van buiten.

Made in Germany – **Villa Iguana:** tel. 809 757 510 59, www.villaiguana.de, 2 pk vanaf US$ 29 inclusief ontbijt. Aangenaam, door een Duits paar gedreven hotel met 7 kamers, 3 appartementen en een suite.

Eten en drinken

Al dentissimo – **Mama Mia:** op de landtong achter de parkeerplaats voor toeristen, tel. 809 819 45 48. di.-zo. 10.30-24 uur. Kleine zaak die ook 's avonds goed wordt bezocht. Uitzicht op zee hebt u hier weliswaar niet, maar daarvoor in de plaats koken twee charmante Italiaanse dames perfecte spaghetti vanaf RD$ 160.

Uitzicht op de haven – **La Bahía:** tel. 809 710 08 81, dag. 11.30-24 uur. Het oudste visrestaurant van het dorp met uitzicht op de haven. Verse zeevruchten, langoest vanaf RD$ 750.

Uitgaan

Maritieme bar – **Barco Bar:** direct aan het water, tel. 809 905 38 39, www.barcobarbayahibe.com, dag. geopend. Op het terras van deze bar drinkt u de beste espresso van het dorp.

Drinken en flirten – **Super Colmado Bayahibe:** Gezellige zaak in het centrum van het dorp. Hier ontmoet men elkaar om te drinken en te flirten (geopend tot 21 uur). Daarna gaat het verder in discotheek **Coco Rico** aan de overkant (dag. geopend).

Sport en activiteiten

Excursies – **Seavis:** Calle Eladia 4, Dominicus, tel. 829 714 49 47, www. seavisbayahibe.com. Alex organiseert excursies naar de eilanden Catalina en Saona (inclusief lunch vanaf € 80), naar de Cueva del Puente bij Guaraguao (zie hieronder) en verder naar het binnenland.

Duiken – **Casa Daniel:** Calle Principal 1, im Zentrum, tel. 809 833 00 50, www.casa-daniel.com. PADI-duikschool onder Zwitserse leiding. Twee duiken voor € 80. Excursies naar de Padre-Nuestrogrot.

Scubafun: Calle Principal 28, achter de Super Colmado, tel. 809 833 00 03, www. scubafun.info. PADI-duikschool onder Amerikaanse leiding. Twee duiken voor US$ 80.

Vervoer

Bussen: tegenover de Super Colmado vertrekken guaguas naar La Romana en Higüey.

In de omgeving

Aan de rand van het 430 km² grote Parque Nacional del Este (ingang een paar kilometer ten oosten van het resort Dominicus Americanus) ligt de geheimzinnige **Cueva del Puente** (▶ L 6). Deze bereikt u na een 45 minuten durende wandeling door tropische vegetatie (RD$ 100, gids verplicht; Seavis, zie Sport en activiteiten, organiseert excursies, inclusief een bezoek aan de grot, US$ 35 per persoon). De grot werd vroeger door de Taínos gebruikt en u ziet er schilderingen die mogelijk de Spanjaarden voorstellen. Archeologen denken dat de conquistadores hier een bloedbad hebben aangericht. In de grot hoort u het water druppelen, blokkeren stalagmieten de weg, bengelen boomwortels naar beneden en is het schemerig donker. Voor een bezoek moet u dan ook zeker stevige schoenen, een fles water, een in-

De kathedraal van Higüey is een bekend Latijns-Amerikaans bedevaartsoord

sectenwerend middel en een zaklamp meebrengen.

Isla Saona ▶ L 6-7

Als eerste Europeaan betrad Columbus in 1494 het eiland ten zuiden van het Parque Nacional del Este. Hij doopte het Saona – naar de geboorteplaats van zijn metgezel Michele da Cuneo. Tegenwoordig bieden veel hotels in de regio excursies naar het 110 km² grote eiland (ongeveer US$ 75). Voor individuele tochten kunt u terecht bij Seavis en Casa Daniel (zie Sport en activiteiten Bayahibe, zie blz. 58).

Higüey ▶ L 5

Higüey (145.000 inwoners) is vooral het vermelden waard vanwege de reusachtige **Basílica Catedral Nuestra Señora de la Altagracia** (Calle Arzobispo Nouel, ma.-za. 8-18, zo. 8-20 uur), waar elk jaar duizenden pelgrims naartoe stromen.

Het betonnen gebouw in een massieve sovjetstijl werd in de jaren '50 van de vorige eeuw ter ere van de dominicaanse patroonheilige Nuestra Señora de la Altagracia opgericht en is een van de belangrijkse Mariabedevaartsoorden van Latijns-Amerika. Boven het altaar hangt een klein beeld van de Maagd, dat hier in 1514 heen werd gebracht.

Eten en drinken

Met aandacht – **Mesón de Cervantes:** Calle Arzobispo Nouel 79, tegenover de basiliek, tel. 809 554 25 06, dag. 10.30-24 uur, hoofdgerecht vanaf RD$ 200. Een gezellig, authentiek restaurant met Creoolse gerechten.

Agenda

Mariafeest: 21 januari. Ter ere van de nationale heilige Nuestra Señora de la Altagracia stromen hier bedevaartsgangers uit heel Latijns-Amerika naartoe.
Santísima Cruz: eerste week van mei. Processie en feest in El Seíbo (40 km

naar het westen, 65.000 inwoners). Het hoogtepunt is een stierengevecht.

In de omgeving

Het **Casa de Ponce de León** (▶ L 6, 2 km buiten San Rafael de Yuma, 20 km ten zuiden van Higüey, niet gemarkeerd) werd in 1505 door de conquistador Ponce de León als landhuis gebouwd. De dikke muren en schietgaten van het complex geven een goede indruk van de precaire levensomstandigheden van de Spanjaarden aan het begin van de 16e eeuw. Destijds was dit allemaal nog Taínogebied en het eiland werd regelmatig door piraten aangevallen. Het museum in het huis toont oorspronkelijk meubilair en wapenrustingen van de conquistador, die onder meer Florida 'ontdekte' (8-17 uur, RD$ 50).

Overnachten met uitzicht op de Caribische Zee kunt u in het nabijgelegen vissersdorp **Boca de Yuma** bij El Viejo Pirata, Calle Duarte 1, tel. 809 780 32 36, www.hotelelviejopirata.com. Hier vindt u acht kamers (2 pk RD$ 1300) en ook een restaurant.

Punta Cana en Bávaro ▶ M 5

Het oostelijkste punt van het land is de **Cabo Engaño** (Kaap van de illusie). Ten zuiden ervan ligt Punta Cana, aan de noordkant Bávaro. Beide vormen een paradijs als van een ansichtkaart: witte stranden, kokospalmen, een rustige branding. Dat zagen ook de projectontwikkelaars die hier 25 jaar geleden de eerste hotels neerzetten. Tegenwoordig rijgen de all-inclusivecomplexen zich aaneen.

Overnachten

Naast de vele resorts vindt u hier ook enkele zelfstandige hotels.

In het oude Rome – **The MT:** Plaza Prisas de Bávaro 506, tel. 809 552 09 41, 2

pk vanaf US$ 40, themthotel@hotmail. com. Niet aan het strand, maar wel gloednieuw. Door de Italiaan Antonio Romeins-weelderig ingericht hotel met 30 kamers en de beste prijs-kwaliteit-verhouding.

Downtown – **Cortecito Inn:** Playa El Cortecito, Bávaro, tel. 809 552 06 39, 2 pk vanaf US$ 60 inclusief ontbijt. 76 kamers met tv en koelkast, sommige met balkon. Gemiddeld hotel midden in Cortecito.

Happy hippie – **La Posada de Piedra:** Playa El Cortecito, Bávaro, tel. 809 221 07 54, 2 pk vanaf US$ 35. 2 hutten aan het strand, 2 kamers met balkon, maar zonder comfort. Onlangs geheel gerenoveerd.

Teruggetrokken – **Punta Cana Resort & Club:** Punta Cana, tel. 809 959 22 62, www.puntacana.com, 2 pk vanaf US$ 96 (laagseizoen). Rustig complex met 400 kamers en enkele villa's. Van dezelfde eigenaar als de Airport Punta Cana. Het resort richt zich op duurzaam toerisme.

Eten en drinken

Grillrestaurant – **Captain Cook:** Playa El Cortecito, Bávaro, tel. 809 552 06 45, captaincook@live.com, dag. 12-24 uur. Bekend restaurant in Cortecito met een open grill en uitzicht op zee. Zeevruchten vanaf RD$ 500.

Spaans – **Photo Bar:** Playa El Cortecito, Bávaro, tel. 809 221 07 54, www.elphotobar.com, di.-zo. 19-3 uur. Specialiteit van dit met foto's ingerichte restaurant onder Spaanse leiding zijn de *picaderas* met olijven, kaas en ham (RD$ 500).

Wagenwielen – **Bella Italia:** Plaza Brisas de Bávaro 315, tel. 829 751 46 67. Niet aan zee, maar rustig gelegen pizzeria met pizza's uit de steenoven.

Winkelen

Souvenirs ern cash – **Plaza Bávaro:** Souvenirwinkels, internetcafés, gewone cafés en een bank.

Dorps – In **El Cortecito**, een van de weinige plekjes waar nog een dorpssfeer hangt, is een supermarkt gevestigd.

Uitgaan

Handgemaakt – **Photo Bar:** Bávaro, zie Eten en drinken. Elke avond livemuziek.

Vamos de fiesta! – De populairste discotheek was tot voor kort **Pacha** in het Hotel-Riucomplex, Playa Bávaro. Ook geliefd is **Mangú** in Hotel Occidental Grand Flamenco, Playa Bávaro, dag. vanaf 23 uur. Voor een clubsfeer gaat u naar **Areíto** in Hotel Princess Caribe Club, Punta Cana, vanaf 23 uur en gratis toegang.

Sport en activiteiten

Golfen – **La Cana Golf Course:** In het Punta Cana Resort & Club, tel. 809 959 46 53, www.puntacana.com, dag. 7-18 uur. Het tijdschrift *Golf Magazine* heeft de 18-holesgolfbaan tot de nummer één van het Caribisch gebied uitgeroepen.

Ecotourisme – **Puntacana Ecological Park & Reserve:** in de buurt van het Punta Cana Resort & Club (zie Overnachten), tel. 809 959 02 15, www.puntacana.org. Het natuurpark met vijftien lagunes staat onder leiding van de Puntacana Ecological Foundation. Een bezoek duurt 3,5 uur, inclusief een brunch, US$ 69. Vertrek: 9 uur en 12.30 uur.

Duiken of paardrijden – **Pelicano Sport:** in de hotels VIK Arena Blanca Hotel en Ocean Blue & Sand, tel. 809 613 30 02, www.pelicanosport. com. Beginnerscursus duiken US$ 395, snorkelen, tochten met een boot met glazen bodem etc. Er zijn ook paardrijtochten op het strand of naar het binnenland. Voor 3,5 uur betaalt u US$ 92, kinderen tot zes jaar US$ 46.

Vervoer

Streekbussen: Expreso Bávaro, tel. 809 552 16 78, rijdt 4 x per dag naar Santo Domingo met haltes in La Romana. De halte in Bávaro bevindt zich tegenover het Texaco-benzinestation.

Luchthaven: De International Airport Punta Cana (PUJ), www.punta-cana-air-port.com, vormt een bestemming voor veel luchtvaartmaatschappijen, waaronder Martinair, Arkefly, Jetairfly, Air Berlin en Condor. De hotelcomplexen, waarvan de meeste 10 tot 40 minuten verderop liggen, bereikt u met de taxi (vaste prijs).

Playa Limón ▶ K 4

Volgens sommigen is dit het mooiste strand van het oosten. Ongeveer 70 km ten noordoosten van Punta Cana strekt zich de Playa Limón voor u uit: kilometerslang poedersuikerstrand, palmen, turquoisekleurig water. En het beste van alles: er is bijna geen mens te zien.

Overnachten en eten

Sympathieke eenvoud – **Hotel La Cueva:** tel. 809 470 08 76, www.ranchola cueva.com, 2 pk US$ 40. Walter Brandle zwaait de scepter in dit sympathiek-eenvoudige hotel met zes kamers achter het strand. Op het grote terras van het restaurant (dag. 7.30-23 uur) worden verse vis- en vleesgerechten uit de regio geserveerd.

Sport en activiteiten

Paardrijden – **Rancho La Cueva:** (zie Overnachten). Walter Brandle organiseert paardrijtochten in de omgeving, bootexcursies, een bezoek aan een hanengevecht etc.

Vervoer

Guaguas: de Playa Limón ligt ongeveer 70 km ten noordoosten van Bávaro en is per minibus vanuit Higüey (of afslag Cerro Gordo) te bereiken. U rijdt in de richting van Miches en stapt uit in El Cedro. Motoconchos brengen u naar het 3 km verderop gelegen strand.

Het zuidwesten van de Dominicaanse Republiek is een gebied met een ruige schoonheid. De plaatsen in de buurt van Santo Domingo worden weliswaar noch door industrie gedomineerd, maar hoe verder je naar het westen gaat, hoe eenzamer en desolater het wordt. Hier gedijen cactussen, leven krokodillen en leguanen.

San Cristóbal en La Toma ▶ G 6

U zou de industriestad San Cristóbal (220.000 inwoners) gerust kunnen overslaan, ware het niet dat dit de geboorteplaats is van Rafael Trujillo. De dictator die het land 30 jaar lang plunderde heeft hier en in het nabijgelegen La Toma enkele memorabele gebouwen laten neerzetten.

Castillo del Cerro

San Cristóbal, het beste kunt u zich er door een motoconchorijder naartoe laten brengen, ma.-vr. 8-18, za. en zo.8-17 uur, toegang gratis, geen korte broek, sandalen, hoge hakken of open T-shirts. Rondleiding in het Spaans

Trujillo liet dit huis in 1949 als privé-residentie bouwen. Maar bij nader inzien beviel het moderne gebouw hem niet. Op de onderste verdieping is een school voor gevangenispersoneel gehuisvest. En op de bovenste verdiepingen heeft men de weelderig-kitscherige oorspronkelijke inrichting van het huis bewaard.

Casa Caoba

In La Toma, ca. 5 km ten noordoosten van San Cristóbal aan de linkerkant op een heuvel; de ingang is een roestige ijzeren poort, die alleen te vinden is door ernaar te vragen

Het 'Mahoniehuis' was de lievelingsvilla van Trujillo. In het vervallen gebouw gaf hij banketten en ontving hij speelkameraadjes. De huismeesterfamilie leidt u door de voormalige badkamer en de Moorse danszaal. Het geheel verkeert in een verwaarloosde staat, maar geeft een goede indruk van de, op zijn zachts gezegd, informele omgang van de Dominicanen met hun geschiedenis.

Balneario La Toma

Achter La Toma links gemarkeerd, dag. 8-22 uur, RD$ 30

Het voormalige badhuis van Trujillo werd door een rivier gevoed en is een prima toevluchtsoord.

Overnachten

Eco – **Rancho Ecológico Campeche:** ten westen van San Cristóbal in de richting van Baní, na de afslag naar Yaguate de weg naar Deveaux nemen, dan in de richting van El Limón, tel. 809 686 10 53, www.ranchocampeche.com, vanaf RD$ 800 p.p. inclusief eten en tentverhuur. Groot groen complex met cabañas en kampeerterrein, op 5 minuten van de zee.

Onder de palmen – **Playa Palenque:** Puerto de Palenque, ten westen van San Cristobal in de richting van Baní aan de zee, tel. 809 243 25 25, www.karibikindividuell.de, 2 pk vanaf € 29,50. Aangenaam hotel onder leiding van de Zwitser Peter Wegmüller. Op 100 m van het strand. Acht kamers, balkons, tuin, zwembad en een goed restaurant.

Vervoer

Streekbussen: vanaf het Parque Colón rijden regelmatig bussen van en naar Santo Domingo en Azua. Naar La Toma per taxi of motoconcho.

Baní ▶ F 6

De provinciehoofdstad (110.000 inwoners) staat om twee zaken bekend: hier werd de Cubaanse nationale held Máximo Gómez Báez geboren en vanhier komt de zoete mango banilejo, die Baní de titel 'mangohoofdstad' heeft opgeleverd.

Museo Municipal

In het stadhuis aan het Parque Duarte, ma.-vr. 14.30-17 uur, toegang gratis
Streekmuseum met alledaagse voorwerpen uit de 19e eeuw en herinneringen aan Máximo Gómez, die aan de zijde van José Martí in de Cubaanse vrijheidsstrijd (1868-1878) vocht.

Eten en drinken

Gezellig – **Alba:** Calle Padre Billini 13, aan het Parque Duarte, dag. 12-14.30 uur. Door een familie gedreven *comedor* met dagschotels voor ongeveer RD$ 200. Vraag naar *paya*, een zoet gerecht van geitenmelk.

Vervoer

Streekbussen/guaguas: van het busstation aan de Av. Máximo Gómez/Calle Gaston Deligne vertrekken bussen in westelijke en oostelijke richting. Vanaf het Parque Duarte vertrekken minibussen.

Agenda

Feest van de patroonheilige: 21 nov. feest rond de kerk Nuestra Señora de Regla.

San José de Ocoa ▶ E 5

In het bergdorp San José de Ocoa (34.000 inwoners) vonden ontsnapte slaven in de 18e eeuw een toevluchtsoord, nu komen er dagtoeristen. Avonturiers gebruiken Ocoa als uitvalsbasis voor het centrale gebergte. Een onverharde weg leidt naar Constanza (zie blz. 79).

Overnachten

Standaard – **Casa de Huéspedes San Francisco:** Calle Pimentel 37, tel. 809 558 27 41, 2 pk vanaf RD$ 500. Zo'n veertig

Literatuur over de tiran

Rafael Leónidas Trujillo regeerde de Dominicaanse Republiek tussen 1930 en 1961. Hij plunderde het land, was een sadist en had een voorliefde voor zeer jonge vrouwen. Verder had de dictator duidelijk egomanische kenmerken. In de kerken liet hij de slogan 'God in de hemel, Trujillo op aarde' aanbrengen. De Amerikaans-Dominicaanse schrijver Junot Díaz beschrijft in zijn met de Pulitzerprijs bekroonde familieportret *Het korte, maar wonderbare leven van Oscar Wao* het leven onder de dictator en de gevolgen op de lange termijn. Mario Vargas Llosa concentreert zich in de roman *Het feest van de bok* op de moord op de tiran. Een aangrijpend boek over de dictatuur heeft Julia Álvarez geschreven. *In de tijd van de vlinders* gaat over de gezusters Mirabal, die de dictator liet vermoorden (zie blz. 95).

eenvoudige kamers, vriendelijke leiding, warm water.

Eten en drinken

Populair – **Rancho San Francisco:** Kort voor het begin van de plaats, ma.-vr. 8-21 uur, za. en zo. 8 uur tot laat. Groot restaurant met een natuurlijk zwembad (RD$ 50).

Informatie en verkeer

Oficina de Turismo: Calle Canadá 144, tel. 809 558 29 74.
Guaguas: vanaf het Parque Central in de richting van Santo Domingo.

Lago Enriquillo ▶ A/B 5/6

De grootste binnenzee van het Caribisch gebied is genoemd naar de Taínoleider Enriquillo. Het meer is even zout als de oceaan en lag ooit 40 m onder zeeniveau. Sinds enige tijd stijgt echter de waterspiegel. In het 220 km^2 grote gebied zwemmen de laatste wilde krokodillen van het land.

Parque Nacional Isla Cabritos

Bezoekerscentrum aan de noordoever van het meer, 3 km ten oosten van La Descubierta, toegang tot het nationaal park RD$ 50
Elke ochtend tussen 7 en 8 uur legt er een boot bij het 'geiteneiland' aan. De prijs (RD$ 3500) voor de twee uur durende overtocht plus een gids wordt door de passagiers gedeeld. Op het eiland komen 50 vogelsoorten voor. Wanneer u alleen leguanen wilt zien: bij het kantoor van het nationaal park lopen er tientallen rond.

Las Caritas

Ongeveer 500 m ten oosten van de ingang van het nationaal park boven de weg
De klim naar deze grot met rotstekeningen is behoorlijk zwaar, maar het uitzicht maakt alles goed.

Jimaní

2 km ten oosten van La Descubierta
In deze grensstad wordt aan de Haïtiaanse kant een kleurrijke markt gehouden. Hier kunt u zonder formaliteiten naartoe.

Overnachten

Zeg het met bloemen – **Mi Pequeño Hotel:** Calle Padre Billini 26, La Descubierta, tel. 809 762 63 29, 2 pk vanaf RD$ 500. Charmant pension met een bougainvillea.

Eten en drinken

Vochtig en vrolijk – **Balneario La Descubierta:** in dit badcomplex vindt u natuurlijke poelen en een klein restaurant, waar onder meer vis uit het Lago Enriquillo wordt gefrituurd.

De edelsteen larimar

Deze turquoise steen komt op slechts twee plaatsen in de wereld voor. Een mijn ligt in Italië, de andere in de bergen bij Baoruco (zie blz. 66) op het schiereiland Pedernales. U komt er met een terreinwagen. Honderden jonge mannen graven zich hier langs kleine, met houten balken gestutte schachten door de berg. Momenteel financiert de EU de bouw van een grote schacht van beton. Larimar behoort tot de familie van de pectolieten en zijn blauw-groene kleur is afkomstig van vanadiumsporen. Larimarsieraden vindt u in de meeste souvenirwinkels. Het voordeligst zijn ze echter in de familiewerkplaatsen in Baoruco. Excursies: Eco Tour Barahona, zie blz. 68.

Langs de oever van het zoute Lago Enriquillo leven honderden leguanen

Vervoer

Guaguas: naar Neiba.

Barahona ▶ C/D 6

Barahona (80.000 inwoners), een in 1802 gestichte havenstad met als belangrijkste bron van inkomsten de verwerking van suikerriet, vormt een mooi beginpunt voor een excursie over het schiereiland naar **Pedernales**, ⑥ blz. 66.

Overnachten

Piratenherberg – **Loro Tuerto:** Calle Luis Delmonte 33, tel. 809 524 66 00, www.lorotuerto.com, 2 pk RD$ 1500. De 'eenogige papegaai' is de beste lokale overnachtingsgelegenheid en biedt negen eenvoudige kamers in het achterhuis met houten veranda. Coole bar.
Gezinsvriendelijk – **Hotel El Quemaito:** Juan Esteban, 10 km in de richting van Pedernales, tel. 809 649 76 31, www.hotelelquemaito.com, 2 pk US$ 70 inclusief ontbijt. Nieuw hotel op een heuvel. Fris ingericht familiehotel, kinderzwembad en een restaurant

Over de kliffen – **Casablanca:** Juan Esteban, 10 km in de richting van Pedernales, links gemarkeerd, tel. 809 471 12 30, www.hotelcasablanca.com.do, 2 pk US$ 60. Pension aan de rotskust met zeven kamers, een tuin en uitzicht op zee. De Zwitserse gastvrouw Susanna is bijzonder attent.

Eten en drinken

Waar piloten zaten en aten – **Brisas del Caribe:** Carretera del Batey Central (Malecón), tel. 809 524 27 94, dag. 9-24 uur. Krab eten voor een redelijke prijs (ongeveer 300 RD$). Hier bevond zich het hoofdkantoor van de in 1927 opgerichte West Indian Aerial Express, de eerste luchtvaartmaatschappij van het Caribisch gebied.

Vervoer

Streekbussen: Caribe Tours, Calle Anacaona 4, tel. 809 524 23 13. Directe verbindingen naar Santo Domingo.
Guaguas: vanaf de Av. Delmonte/Calle Billini vertrekken minibussen in alle richtingen.

6 Het Wilde Westen – van Barahona naar Pedernales

Kaart: ▶ A-D 6-8
Duur: 2 dagen, rondrit: eenvoudig traject 122 km

Welkom in het Wilde Westen. Honderden kilometers eenzame kusten, twee reusachtige nationale parken en een unieke flora en fauna maken het schiereiland Pedernales tot de ongereptste regio van het land. Reizigers krijgen hier het gevoel aan het einde van de wereld te zijn aangekomen.

Deze rondrit voert vanaf de havenstad Barahona parallel aan de kust van het als een driehoek gevormde schiereiland naar Pedernales aan de grens met Haïti. Het eenvoudigst maakt u de tocht met een huurwagen, maar u kunt ook een guagua nemen. Trek minimaal twee dagen voor de rondrit uit.

Van Barahona naar Oviedo

Voordat u op weg naar Pedernales de Carretera nr. 44 neemt, moet u in **Barahona** nog eenmaal helemaal voltanken. Direct aan de rand van de stad vindt u een benzinestation. De eerste noemenswaardige plaats na Barahona is **Baoruco**. Zoals u uit de vele werkplaatsen kunt afleiden, leeft het dorp van de verwerking van de edelsteen larimar (zie blz. 62) uit de nabijgelegen mijn.

In **San Rafael**, enkele kilometers verderop, ligt een van de mooiste **balnearios** 1 van het land. Het natuurlijke badcomplex bevindt zich direct aan zee (parkeerplaats RD\$ 50) en bestaat uit verscheidene waterbekkens, die door een bergrivier worden gevoed. Eromheen liggen restaurantjes en bars. Niets is er meer te zien van de verwoesting die in 2009 door een zware storm werd aangericht. Wanneer het in de bekkens te fris wordt, kunt u naar het warme, grofkorrelige strand. Op een steenworp van de weg ziet u de **Villa Miriam** (dag. 8-18 uur, RD\$ 100). In deze fraaie tuin met zwembad is het aangenamer vertoeven dan aan zee, waar het in het weekend vol en lawaaierig wordt.

Voor en na San Rafael hebt u vanaf de weg een sensationeel uitzicht op de zee en de bergachtige kust. Met name bij het klimmen naar de *balneario* moet u links op de **parkeerplaats** ❷ even stoppen en van het uitzicht genieten.

Paraíso is de naam van het volgende dorp en er is een goede reden voor een bezoek: *Eco Tour Barahona* ❶, een kleine touroperator, heeft in Paraíso zijn kantoor (zie blz. 68).

De hoofdattractie van het charmante dorp **Los Patos** is de zoetwaterlagune aan het kiezelstrand, die al vanaf de brug aan het begin van de plaats te zien is. Rond het ondiepe bekken wordt gebakken vis geserveerd.

Bij **Oviedo** ligt de **Laguna de Oviedo** ❸, die tot het Parque Nacional Jaragua behoort. Dit is het grootste nationale park van het land. De zoutwaterlagune met zijn eilanden, mangrovemoerassen en 67 vogelsoorten (onder meer roze flamingo's) laat zich met de boot of te voet verkennen. Kom bij voorkeur 's ochtends of in de namiddag. Rond het middaguur kan het hier onverbiddelijk heet zijn.

Van Oviedo naar Pedernales

Welkom in het diepe zuiden van de Dominicaanse Republiek. Het kan gebeuren dat u op de volgende 50 km naar Pedernales geen levende ziel meer tegenkomt. De weg voert steeds door het **Parque Nacional Jaragua**. De bergen die zich aan de noordelijke horizon verheffen, maken deel uit van het **Parque Nacional Sierra de Baoruco**. Beide parken samen vormen vanwege hun rijk-

Overigens: het zuidwesten is de droogste regio van het land, omdat de meeste regen in de bergen midden op het eiland valt. In 2010 is vanwege een langdurige droogte nog meer vee doodgegaan.

dom aan soorten het eerste Unesco-biosfeerreservaat van het eiland. Langs de weg staan struiken en droge bomen die hun bladeren afwerpen wanneer het niet voldoende regent.

Voordat u Pedernales bereikt, rijdt u over een brug waaronder een weg kruist. Wanneer u deze naar het zuiden volgt, komt u bij een bauxietmijn, een cementfabriek en een aanlegsteiger. Volg de onverharde weg parallel aan de kust tot **Las Cuevas** ❹, een kleine verzameling vissershutten.

Vanuit Las Cuevas vertrekken boten naar het meest verlaten strand van het land. De **Bahía de las Águilas** ❺ is een 10 km lange baai tussen twee kapen met daartussen: poedersuikerstrand. Van Las Cuevas naar het strand voert een door cactussen omzoomde, onverharde weg waarvoor u een terreinwagen nodig hebt. Het is verstandiger om een boot te charteren (zie blz. 69). Neem water, eten, zonnebrandcrème en een snorkeluitrusting mee – in de baai leven schildpadden.

Pedernales (14.000 inwoners), aan het einde van de rondrit, heeft behalve een kleine grensovergang weinig te bieden. Het is echter een goed punt om te overnachten en vormt een goede uitvalsbasis voor avontuurlijke tochten naar de Sierra de Baoruco.

• •

Overnachten

Casa Bonita ❶: Baoruco, bij Km 17 zichtbaar op een heuvel, gemarkeerd, tel. 809 476 50 59, www.casa bonitadr.com, 2 pk US$ 130 (zo.-do.), US$ 170 (vr. en za.). 12 luxueuze kamers

in de voormalige villa van een rijke Dominicaanse familie. Het duurste hotel van dit kustgebied met jacuzzi en zwembad.

Kalibe ❷: Calle Arzobispo Meriño 16, Paraíso, tel. 809 241 11 92, 2 pk vanaf

Aan de zoetwaterlagune van Los Patos

RD$ 1500. Het nieuwste hotel in deze plaats met gezellig ingerichte kamers, een klein zwembad en een *comedor*, waar krab en kreeft worden geserveerd vanaf RD$ 310.

Hotelito Oasi Italiana : Calle Carrasco 6, Los Patos, tel. 829 926 97 96, www.lospatos.it, 2 pk vanaf RD$ 1200 inclusief ontbijt. Een klein pension in het bovenste deel van het dorp. Prachtig uitzicht, smakeloos ingericht.

Hostal Doña Chava : Calle Segunda, Pedernales, tel. 809 524 03 32, www.donachava.com, 2 pk vanaf RD$ 650. Het vriendelijkste hotel in het dorp wordt op een gezellige manier geleid. 18 eenvoudige kamers rond een eigen groene patio. Teresa, kleindochter van de gestorven Doña Chava, heeft veel informatie over de omgeving.

Eten en drinken

Casa Bonita : Baoruco, zie blz. 66, dag. geopend. Restaurant met een romantisch-exclusieve sfeer en een combinatie van Caribische en Aziatische gerechten, waaronder tonijnsteak met gember en sojasaus, RD$ 425.

Balneario in San Rafael is karakteristiek Dominicaans: vis, bonen, rijst, yucca en *tostones*. Probeer de *bolillos*: gefrituurde yuccaballetjes gevuld met vis, RD$ 25.

Hotelito Oasi Italiana : zie links, dag. geopend. Op zijn terras met uitzicht op zee serveert Giordano de beste pasta in de wijde omtrek vanaf RD$ 250.

King Crab : Calle Dominguez 2, Pedernales, Tel 809 256 96 07, dag. geopend. Het beste restaurant van de stad. Creoolse keuken (veel vis), grote porties, attente bediening, gemiddelde prijzen.

Activiteiten

Eco Tour Barahona : Carretera Enriquillo, Ed. 8 (aan de Malecón), Paraíso, tel. 809 243 11 90, www.ecotour-repdom.com. Deze touroperator van Franse origine biedt klassieke excursies naar het prachtige Lago Enriquillo en de Bahía de las Águilas (US$ 75 per stuk), maar ook ongewone uitstapjes naar bijvoorbeeld de larimarmijnen.

Laguna de Oviedo : het bezoekerscentrum in Oviedo ligt aan de weg en is gemarkeerd, tel. 809 343 15 70, www.grupojaragua.org.do, dag. 8-16 uur, RD$ 100. U kunt de lagune per boot verkennen (een gids is verplicht, RD$ 2500 voor drie uur) of samen met een gids op blote voeten door het water, de modder en de mangroven waden, onder meer naar de grootste flamingokolonie van het land (RD$ 1000). De gidsen spraken tot voor kort geen Engels, maar wilden het wel gaan leren.

Bahía de las Águilas : in Las Cuevas kunt u bij bijvoorbeeld restaurant Rancho Típico een boot charteren. Deze brengt u naar de afgelegen Bahía de las Águilas (overtocht ongeveer 15 minuten). Hoe meer mensen er mee varen, hoe goedkoper het is: 1-5 personen RD$ 1800, 6-8 personen RD$ 325 p.p.

Hispaniola Tours : Calle Belarminio Fernández 52, Pedernales, tel. 829 206 37 80, www.hispaniolatours.com. Deze sympathieke touroperator (eigenaars Irene Rondon en Hans) organiseert natuur- en cultuurreizen naar alle bestemmingen in de regio en biedt verder excursies naar een goudzoekerskamp en Haïti (€ 80 p.p.).

Hostal Doña Chava : zie blz. 68. Dit hotel is onderdeel van Aguinape, een samenwerkingsverband van econatuurgidsen (Associación de Guías de Naturaleza de Pedernales), tel. 809 214 15 75. De behulpzame Teresa beschikt over contacten en informatie. Er zijn voordelige excursies naar de Bahía de las Águilas, Haïti en de grensdorpen in het nationaal park Sierra de Baoruco.

Barahona – Pedernales
20 km

Het binnenland

Op een gegeven moment heb je ook van de mooiste stranden wel even genoeg: tijd om naar het binnenland te gaan. Twee landschappen domineren de diepgroene regio: het vruchtbare Cibaodal (zie blz. 96) en het machtige centrale massief.

Santiago de los Caballeros
▶ E 2, stadsplattegrond blz. 72

De op een na grootste stad van het land (625.000 inwoners) ziet zich als de eigenlijke hoofdstad. Nou ja, in elk geval is Santiago de los Caballeros de centrale stad van het Cibaodal. De Santiagueros beweren graag dat zij het geld verdienen dat in Santo Domingo wordt uitgegeven. De stad werd in 1495 door Columbus gesticht en na een aardbeving in 1564 opnieuw opgebouwd. Santiago leed meerdere malen onder aanvallen van piraten en het Haïtiaanse leger. Het centrum stamt uit de 19e eeuw.

Museo Folklórico de Tomás Morel 1

Calle Restauración 174, tel. 809 582 67 87, ma.-vr. 8.30-13, 15-19 uur, toegang gratis, een gift wordt gewaardeerd
In dit houten huis worden de carnavalsmaskers tentoongesteld waar Santiago zo beroemd om is. Het stoffige museum werd in 1962 door de schrijver Tomás

Het groene Parque Duarte is het ontmoetingspunt in het centrum van Santiago

Morel gesticht en door zijn zoon voortgezet (er wonen inmiddels verscheidene katten).

In het Parque Duarte

Het centrale plein met zijn grote laurierbomen wordt door een wonderlijke mengeling van schoenpoetsers, predikers en flanerende wandelaars bepaald. Aan de westkant staat het weelderige **Palacio Consistorial** 2, vroeger het stadhuis. Aan de zuidkant verheft zich de classicistische **Catedral de Santiago Apóstol** 3 uit de tweede helft van de 19e eeuw (hij wordt tot 2012 gerenoveerd). Hier ligt dictator Ulises Heureaux begraven.

Fortaleza San Luis 4

Calle Vicente Estrella/Calle San Luis, dag. 9-21 uur, toegang gratis
De vesting uit de 17e eeuw diende als kazerne en gevangenis. Het voorste gedeelte herbergt het bezienswaardige Museo Cultural. Het oude cellencomplex wordt door kunstenaars als werkruimte gebruikt.

Monumento a los Héroes de la Restauración de la República 5

Aan de westkant van de Calle del Sol
Het 67 m hoge marmeren monument is de blikvanger van de stad. Dictator Trujillo liet het in de jaren '40 van de vorige eeuw voor de helden van de republiek oprichten. Er is een museum, maar het interessants is het panoramische uitzicht.

Centro León 6

Av. 27 de Febrero 146, tel. 582 23 15, www.centroleon.org.do, di.-zo. 10-19 uur. RD$ 70, di. gratis toegang, rondleidingen in het Duits RD$ 150
De Santiagueros zijn met recht trots op hun Centro León. Het museum is het professioneelste van het land. De ondernemersgroep León Jimenes liet het in 2003 bouwen ter gelegenheid van het 100-jarig bestaan van hun sigarenfabriek La Aurora. Een tentoonstellingsruimte is voor wisselende exposities gereserveerd, in twee andere zijn interessante permanente tentoonstellingen te zien. 'Génesis y Trayectoria' toont fraaie werken van Dominicaanse kunstenaars uit de 20e eeuw, 'Signos de Identidad' is een fascinerende antropologische expositie over de geschiedenis van het eiland. Op het terrein staat ook een replica van de sigarenfabriek La Aurora.

Overnachten

Perfect – **Centro Plaza** 1: Calle Mella 54/Calle del Sol, tel. 809 581 70 00, www.hodelpa.com, 2 pk vanaf US$ 139 inclusief ontbijt. Het modernste hotel in het centrum. Goed restaurant.
Voor casinospelers – **Matum** 2: Av. Las Carreras 1, tel. 809 581 31 07, www.hotelmatum.com, 2 pk vanaf RD$ 2650 inclusief ontbijt. Grote kamers, een reusachtig casino en een zwembad.
Helemaal boven – **Camp David** 3: Carretera Luperón Km 7,5, tel. 809 276 64 00, www.campdavidranch.com. De ligging op een heuvel ten noordoosten van de stad maakt het beter te verteren dat het hotel door Trujillobewonderaars wordt geleid. De kamers nr. 5, 6 en 7 met uitzicht over het dal zijn hun RD$ 1800 meer dan waard. In het restaurant staat een koets van Trujillo.

Eten en drinken

Lunch – **Cafetería Central** 1: tegenover het hotel Centro Plaza, ma.-za. 8-18 uur. Hoofdgerechten vanaf RD$ 120. Dagelijks wisselend aanbod, populaire lunch.
In het Midden-Rijk – **Pez Dorado** 2: Calle del Sol 43, tel. 809 582 40 51, dag. 11.30-23 uur. Het bekendste restaurant van de stad heeft weliswaar geen ramen, maar zit altijd vol. Zeevruchten (ongeveer RD$ 700) en Chinese gerechten (ongeveer RD$ 300).

Winkelen

Markteconomie – **Mercado Modelo** 1: Calle del Sol 94, ma.-za. 8-19, zo. tot 2 uur. In deze markthal worden vlechtwerk, sieraden en andere regionale kunstnijverheid verkocht.

Uitgaan

Het nachtleven speelt zich af onder het Monumento a los Héroes.

De karaokegrot – **Montezuma** 1: Av. Francia, tel. 809 581 11 11, dag. 10-1 uur (vr. en za. tot 3 uur). Geliefde bar met livemuziek. Op maandag is er Latijns-Amerikaanse karaoke.

Sport en activiteiten

Bergtocht – **Loma Quita Espuela:** Santiago vormt een goede uitvalsbasis voor een tocht naar het oosten. Door het regenwoud naar de hoogste top van de regio, 7 blz. 72.

Vervoer

Groepstaxi's: met RD$ 25 p.p. is dit het goedkoopste vervoersmiddel in de stad. De *motocarro* genoemde personenwagens rijden langs vaste routes, die met letters op de auto zijn aangegeven. **Streekbussen:** Ieder uur vertrekken er bussen van Metro, Av. Duarte/Calle Mai-

Santiago de los Caballeros

Bezienswaardigheden

1 Museo Folklórico de Tomás Morel
2 Palacio Consistorial
3 Catedral de Santiago Apóstol
4 Fortaleza San Luis
5 Monumento a los Héroes de la Restauración de la República
6 Centro León

Overnachten

1 Centro Plaza
2 Matum
3 Camp David

Eten en drinken

1 Cafetería Central
2 Pez Dorado

Winkelen

1 Mercado Modelo

Uitgaan

1 Montezuma

mon, tel. 809 582 91 11, en Caribe Tours, Calle Maimón/Av. 27 de Febrero, tel. 809 576 07 90, naar Santo Domingo en Puerto Plata.

Agenda

Carnaval: feb./maart. De conservatieve stad gaat helemaal los. Gemaskerde duivels *(lechones)* trekken met veel lawaai door de straten.

Arte Vivo: eind maart/begin april. Twee weken durend festival met muziek, dans, theater, films en beeldende kunst.

Feest van de patroonheilige: 25 juli. Día de San José.

La Vega ▶ E 3

In La Vega (220.000 inwoners) stichtten de Spanjaarden de eerste Munt en verscheen het eerste bordeel van Amerika. De nederzetting (zie blz. 95) werd in 1562 verwoest door een aardbeving. In 17e eeuw bouwde men de stad naast de oude plek weer op. Nu is La Vega beroemd om zijn carnaval.

De **Catedral de la Concepción** (Av. Guzman/Calle Padre Adolfo) uit de jaren '90 is zo mooi lelijk, dat je zeker tijd vrij moet maken om hem te gaan bekijken.

⑦ Door het regenwoud – naar Loma Quita Espuela

Kaart: ▶ F 2
Vervoer: 75 km van Santiago de los Caballeros en 55 km van La Vega via San Francisco de Macorís

Met dank aan het microklimaat: binnen enkele minuten komt u door cacaoplantages, een regenwoud en dan een geheimzinnig nevelwoud met 612 verschillende plantensoorten en 58 verschillende vogelsoorten. Aan het eind van de wandeling staat u op de top van de hoogste berg van de regio en kijkt u uit over het Cibaodal.

De top van de berg Loma Quita Espuela is 942 m hoog. De route naar boven is ongeveer 3 km lang, de wandeling duurt bij elkaar ca. 2,5 uur. Trek stevige schoenen aan, het kan een beetje glad worden – dit is de regenrijkste regio van het land.

Het Reserva Científica Loma Quita Espuela

Het unieke wetenschappelijke reservaat in de buurt van San Francisco de Macorís ligt buiten alle toeristische routes. Het strekt zich uit rond een fraaie berg met de opmerkelijke naam Loma Quita Espuela. *Loma* betekent 'heuvel' en *quitar espuela* 'sporen stelen'. De naam verwijst naar de dichte vegetatie, waarin de sporen van de veeherders lijken te verdwijnen.

Het wetenschappelijke reservaat wordt beheerd door een stichting in San Francisco de Macorís, die in 1990 met steun van de Duitse ontwikkelingsdienst (DED) in het leven werd geroepen. Het doel van de Fundación Reserva Científica Loma Quita Espuela is de duurzame bescherming van de natuur rond de berg, waar het dankzij de vochtige noordoostenwind veel regelmatiger regent dan in de rest van het land. Er valt ongeveer 3500 mm regen per jaar, wat een overvloedige flora tot gevolg heeft. En deze vegetatie biedt vooral vogels voldoende bescherming.

Rond de berg ontspringen ook 46 rivieren en beken.

Bedreiging voor de veestapel

Toch wordt het beschermde gebied door veeboeren uit de omgeving bedreigd. De stichting probeert het land van de grootgrondbezitters weliswaar op te kopen, maar deze leggen het aanbod regelmatig naast zich neer.

Bovendien bevordert de stichting het ecotoerisme. Daartoe heeft men enkele wandelingen uitgestippeld, zoals door de cacaoplantages in de omgeving. Mede op grond van het geringe aantal bezoekers is dit concept nog voor verbetering vatbaar. Wanneer u interesse hebt voor de cacaotocht, kunt u contact opnemen met de stichting.

De beklimming

U begint bij het bureau van de stichting aan de voet van de berg. Daar betaalt u entree en wordt u door een gids begeleid. Het eerste deel van de route voert langs weiden met vee. Misschien ziet u in de verte rook opstijgen: daar wordt de vegetatie ter uitbreiding van het begrazingsgebied platgebrand. Spoedig

> **Overigens:** te midden van alle biodiversiteit is er een boomsoort die alleen hier groeit. Het is de *palo de vela*. De bladeren lijken bedekt met was.

daarop bereikt u de ingang van het reservaat, direct voor u verheft zich de berg.

Lang maar zeker wordt de vegetatie dichter tot u het regenwoud bereikt. Door het dichte bladerdak weten slechts enkele zonnestralen door te dringen. Er staan reusachtige laurier-, johannesbrood- en colabomen – sommige moeten zo'n 500 jaar oud zijn. Tussen de planten flitsen kolibri's heen en weer, in de bomen zitten spechten. Het pad voert verder langs met mos begroeide wortels en omgevallen stammen; op de bodem groeien orchideeën en varens.

Vanaf 700 m hoog gaat het regenwoud over in het nevelwoud en begint mist de vegetatie te verhullen. Kort daarop bereikt u de cirkelvormige **top met uitkijktoren** ◼. Wanneer u geluk hebt, zijn er geen wolken en hebt u een prachtig uitzicht op het Cibaodal. Op een mooie heldere dag kunt u zelfs de zee zien liggen.

- -

Informatie

Fundación Reserva Científica Loma Quita Espuela: www.flqe.org.do, tel. 809 588 41 56, toegangsprijs RD$ 50, gids RD$ 300. De ingang van het wetenschappelijke reservaat ligt 13 km ten noordoosten van San Francisco de Macorís (157.000 inwoners) en wordt in de plaats Cadillal gemarkeerd.

Overnachten en eten

Indien onvermijdelijk in San Francisco de Macorís. **Hotel Las Caobas:** Av. Caonabo/Acceso Sur, tel. 809 290 58 58, 2 pk vanaf RD$ 1960 inclusief ontbijt. Hotelcomplex ca. 2 km verderop, 50 kamers. Restaurant dag. 7.30-23 uur,

vanaf RD$ 300, specialiteit van het huis: konijn.

Het binnenland

Het **Casa de la Cultura** (Calle Profesor Juan Bosch 32, bij het Parque Central, dag. 8-17 uur) toont werk van Latijns-Amerikaanse kunstenaars en organiseert muziekavonden.

Overnachten en eten

Onder de blinden is... – **Rey:** Calle Antonio Guzmán 3, tel. 809 573 97 97, hotelrey97@hotmail.com, 2 pk vanaf RD$ 1500. Een keurig hotel met 35 kamers, appartementen en parkeergelegenheid.

…eenoog koning – **Ararey:** in Hotel Rey, tel. 809 573 92 08, dag. 8-24 uur. Uitgebreide kaart met Creoolse gerechten, ongeveer RD$ 300.

Winkelen

Bruisende markt – **Mercado:** Calle Nuñez de Cáceres/Calle Juana Saltitopa, ma.-do., za. 6.30-18, vr. en zo. to 12 uur. Een gezellige Dominicaanse markt.

Uitgaan

Wat zeg je? – **Engini:** tegenover Hotel Rey (zie boven). In deze carwash annexrestaurant kun je 's avonds jezelf nauwelijks verstaan. In het weekend spelen er livebands.

Sport en activiteiten

Bergtocht – **Loma Quita Espuela:** Excursie naar de hoogste top van de regio, zie blz. 74.

Vervoer

Streekbussen: de halte van Caribe Tours ligt ca. 1,5 km verderop aan de Autopista Duarte. Bussen naar Santo Domingo en Puerto Plata.

Agenda

Carnaval: feb./maart. De stad wordt overgenomen door hinkende duivels (*diablos cojuelos*), die met dierblazen slaan. Het evenement trekt tienduizenden toeschouwers.

Bedevaart: 24 sept. Processie ter ere van de Virgen de las Mercedes.

Jarabacoa ▶ E 3

Jarabacoa (57.000 inwoners) ligt op 500 m hoogte en wordt de 'stad van de eeuwige lente' genoemd. De plaats richt zich op sportief toerisme. U kunt er watervallen verkennen (⑧ blz. 75), wildwatervaren of de 3087 m hoge Pico Duarte beklimmen (zie blz. 79).

Overnachten

Bergpanorama – **Brisas del Yaque:** Calle Luperón/Calle Pelegrina Herrera, tel. 809 574 44 90, 2 pk RD$ 1300. Goede overnachtingsgelegenheid in het centrum. Vraag om een kamer met uitzicht op de bergen.

Aan de rivier – **Gran Jimenoa:** Av. La Confluencia, ca. 2 km verderop, gemarkeerd, tel. 809 574 63 04, www.granjimenoahotel.com, 2 pk vanaf RD$ 2065 inclusief ontbijt. Hotel direct aan de Río Jimenoa met 73 stijlvolle kamers. Jacuzzi en een restaurant.

Aan de bergweide – **Mi Vista Mountain Resort:** ca. 5 km verderop, neem vanaf de weg naar La Vega de afslag naar Hato Viejo, tel. 809 574 66 96, www.mivista.com, 2 pk US$ 50. Op een heuvel gelegen complex met vijf bungalows. Zwembad met uitzicht. Reserveren.

Eten en drinken

Voor een drankje – **Jarabacoa River Club:** Calle Obdulio Jimenez in de richting van Manabao, www.jarabacoariverclub.com, dag. geopend. Complex met bars en restaurants aan de Río Yaque del Norte. Een goede plek voor een drankje.

Creatief – **El Rancho:** Calle Independencia, naast Politour, tel. 809 574 45 57, dag. 9-23 uur. Het bekendste lokale restaurant serveert creaties als *pechuga del valle* (kippenborst gevuld met banaan en kaas, RD$ 295).

8 Een donderend schouwspel – de watervallen van Jarabacoa

Kaart: ▶ E 3
Plaats: Ca. 6 resp. 10 km ten zuidoosten van Jarabacoa

Jarabacoa is gezegend met frisse lucht, prachtige bergen en veel water. Drie grote rivieren verenigen zich hier. Maar voordat ze dat doen, zorgen ze voor heel wat spektakel. De Río Yaque del Norte vormt stroomversnellingen, schuimt en baant zich een weg door steile kloven. De rivieren de Baiguate en de Jimenoa storten zich in watervallen, de 'saltos', naar beneden.

Nergens in de Dominicaanse Republiek wordt zo veel aandacht aan de omgeving geschonken als in de buurt van Jarabacoa. Al in 1928 werd hier het eerste natuurreservaat van het land gesticht. Tegenwoordig vindt u hier naast het nabijgelegen nationaal park José Armando Bermúdez het wetenschappelijke reservaat Ébano Verde en het schitterende natuurmonument Saltos de Jimenoa.

De rustige

De **Salto de Baiguate** 1 is de kleinste van de drie watervallen, maar u kunt hem goed te voet bereiken. Verlaat Jarabacoa in de richting van Constanza. Na ongeveer 3 km (voor de brug over de Río Baiguate) ziet u aan uw rechterhand een bord, dat de richting van de waterval aangeeft. Van hier leidt een ca. 3 km lange onverharde weg naar een parkeerplaats, vanwaar een mooi bospad (ca. 500 m) naar de rivier voert. De 25 m hoge *salto* heeft een waterbekken gevormd waarin heerlijk kan worden gezwommen. Jongeren springen vanaf de rotsen in het water, anderen seilen hier af.

De geweldige

Om bij de **Salto de Jimenoa II** 2 te komen, rijdt u ongeveer 4 km in de richting van La Vega. De waterval staat aan uw rechterhand aangegeven. Van de kruising is het nog eens ongeveer 6 km naar

Overigens: de Amerikaanse regisseur Steven Spielberg vond de Salto Jimenoa I zo imposant, dat hij hier vanuit een helikopter de openingsscene van *Jurassic Park* filmde.

de parkeerplaats. Vandaar moet u ongeveer 500 m over een hangbrug balanceren, die weer werd opgebouwd nadat een orkaan hem enkele jaren geleden verwoestte. Verder komt u langs een kleine waterkrachtcentrale. De waterval zelf is 40 m hoog en stort met name na een flinke regenbui met zo veel geweld naar beneden, dat er een enorme nevelwolk ontstaat. Er is weliswaar een bekken, maar de stroming kan zo heftig worden, dat zwemmen wordt afgeraden.

De spectaculaire

Veruit het opwindendst is de **Salto Jimenoa I** 3, hoewel deze waterval ook het moeilijkst bereikbaar is. Wanneer u een goede conditie hebt, klimt u van de dieper gelegen Salto de Jimenoa II door het bos naar boven. Dit is goed te doen in het droge seizoen, wanneer er in de rivierbedding grote rotsblokken

vrijliggen, waar u overheen kunt lopen. Anders rijdt u met de auto vanuit Jarabacoa in de richting van Constanza. De weg is aanvankelijk geasfalteerd, maar gaat later over in een breed pad dat de berg op kronkelt. Na ongeveer 7 km ziet u aan uw linkerhand het kleine bezoekerscentrum van het wetenschappelijke reservaat Ébano Verde, waarin de waterval ligt. Bij de toegangsprijs is een fles water of bier inbegrepen. U neemt nu een steil kronkelend bergpad en zult snel begrijpen waarom Steven Spielberg deze waterval als locatie voor zijn wereldberoemde film koos. Door de bomen ziet u hoe het water zich tussen de verticale rotsen naar beneden stort en het zou niemand verbazen, wanneer daarboven opeens een krijsende dinosaurus rondvloog. Na de 20 minuten durende boswandeling bereikt u een bekken tussen de rotsen. Achter u is het groen, voor u ziet u blauw-grijze wanden en de 60 m hoge Jimenoa I. De rotsen weerkaatsen uw stem en de warmte van de zon. Het is een bijzonder indrukwekkend tafereel, waar u zich als mens zeer nietig kunt voelen. In het heldere waterbekken kunt u zonder problemen zwemmen.

Informatie

Voor een bezoek aan de drie prachtige watervallen kunt u het beste eigen vervoer regelen. Anders moet u een motoconcho of taxi vanuit Jarabacoa nemen, wat vanwege de flinke afstand behoorlijk in de papieren kan gaan lopen.

Toegang

De Jimenoawatervallen zijn dagelijks van 8.30-19 uur geopend. De toegang tot de Salto de Baiguate is kostenloos, maar om in het natuurreservaat te komen, moet u RD$ 100 betalen.

Tongstrelend – **Piedras del Río:** in Hotel Gran Jimenoa (zie boven), dag. 7-23 uur. Hoofdgerechten ongeveer RD$ 300. Fantastische Creoolse gerechten op een terras aan de rivier.

Winkelen

Overvloed – **Mercado Municipal:** Calle Galán. Op deze kleine dagmarkt kunt u van alles en nog wat verwachten: van aubergines, gember en rode bieten tot yucca en suikerriet.

Uitgaan

Alleen met oordoppen – **Entre Amigos:** Calle Colón 182, www.entre amigosbar.com, dag. 21 uur tot laat. Altijd drukke discotheek met karaoke.

Sport en activiteiten

Bergtocht – De beklimming van de **Pico Duarte** (3087 m), de hoogste berg van het Caribisch gebied, duurt drie tot vijf dagen. De bekendste route begint in La Cienaga, 16 km ten westen van Jarabacoa. Daar staan een gids en muildieren voor u klaar. Georganiseerde tochten bieden Iguana Mama (zie blz. 101) vanaf US$ 450 p.p. en Rancho Baiguate (zie onder) vanaf US$ 385 p.p. bij twee personen.

Zwemmen – **La Confluencia:** aan het eind van de Av. Confluencia, waar de Jimenoa en Yaque del Norte samenstromen.

Wandelen – **El Mogote** (1700 m). Deze 2 km naar het westen gelegen berg beklimt u in ongeveer 2,5 uur. De route begint in Pinar Quemado. Voor verdere wandelingen hebt u een gids nodig. Informeer bij het toeristenbureau.

Avontuurlijke sporten – **Rancho Baiguate:** 2 km verderop. tel. 809 574 68 90, www.grupobaiguate.com. Grupo Baiguate is de belangrijkste touroperator in de plaats. Soms duiken er kleinere aanbieders op, maar deze houden onder druk van de monopolist nooit lang stand. **Canyoning** door de kloven in de omgeving; vanaf 12 jaar, US$ 50. **Mountainbi-** ken langs fraaie bergpaden vanaf US$ 25. **Raften** door stroomversnellingen met namen als 'Mike Tyson'; vanaf 12 jaar, US$ 50. **Paardrijden** door de bergen; vanaf US$ 16, kinderen US$ 8,60 (alle tochten inclusief maaltijden).

Informatie en verkeer

Toeristenbureau: Oficina de Turismo, Calle Mario N. Galán, Parque Central, Plaza Ramírez, 1e verdieping, tel. 809 574 72 87, ma.-vr. 9-13, 14-16 uur.
Streekbussen: Caribe Tours, Calle Independencia/Calle Durán, tel. 809 574 47 96. viermaal per dag naar Santo Domingo (RD$ 190, 3 uur) via La Vega.
Guaguas: naast Caribe Tours. Naar La Vega (1,5 uur).
Pick-uptrucks: tegenover het Shell-benzinestation vertrekken pick-ups naar Constanza. Een ruige rit!

Agenda

Feest van de patroonheilige: 15 juli. Het feest ter ere van Nuestra Señora del Carmen.

Constanza ▶ E 4

Alsof u in de Alpen bent beland. Constanza (43.000 inwoners) ligt op 1100 m hoogte en wordt door machtige tweeduizenders omringd. Door het gematigde klimaat gedijen hier appels, bieten, kool en knoflook. Immigranten uit Hongarije en Japan ontwikkelden de landbouw. De lokale bevolking zegt: 'God is overal, maar hij woont in Constanza.'

Overnachten

Bij pappie en mammie – **Mi Casa:** Calle Luperón/Calle Sánchez, tel. 809 539 27 64, 2 pk vanaf 875 RD$. Familiebedrijf met 19 kamers.

Strakke teugels – **Rancho Constanza y Cabañas:** Calle San Francisco de Macorís 99, tegenover de luchthaven, tel. 809 539 32 68, ranchoconstanza.tri pod.com, 2 pk vanaf RD$ 1200. Bungalows en grote kamers in een goed georganiseerd familiebedrijf.

Dalpanorama – **Alto Cerro Villas:** Calle San Francisco de Macorís, tel. 809 539 14 29, www.altocerro.com. Bungalows vanaf RD$ 1860, 2 pk vanaf RD$ 1300, inclusief ontbijt. Complex met 30 bungalows, uitzicht op het dal.

Eten en drinken

Regionale specialiteiten – **Lorenzo's Restaurant/Pizzeria:** Calle Luperón 83, tel. 539 20 08, dag. 9-23 uur. Specialiteiten uit de regio (bijvoorbeeld hartige knoflooksoep) vanaf RD$ 160.

Lokale eenvoud – **Mi Casa:** (zie Overnachten). Eenvoudige zaak (dag. 7-22 uur) met specialiteiten als in wijn bereid konijn (RD$ 280).

Bergpanorama – **Alto Cerro:** (zie Overnachten). Restaurant op een terras met uitzicht op de bergen. Specialiteit: gegrild rundvlees (vanaf RD$ 650).

Sport en activiteiten

Wandelen – Langs wandelpaden kunt u de omgeving verkennen, bijvoorbeeld **El Escuchadero** (8 km). Voor kaarten kunt u bij het toeristenbureau terecht.

De hoogste – **Saltos de Aguas Blancas:** 15 km in de richting van San José de Ocoa. Deze 90 m hoge waterval is de hoogste van de Antillen.

Informatie en verkeer

Oficina de Turismo: Calle Duarte 15, tel. 809 539 29 00, www.constanza.com.do/turismo. Men is heel behulpzaam en u krijgt goede informatie.

Autoverhuur: de weg door het dal naar de Autopista Duarte werd verbeterd. Naar Jarabacoa hebt u een terreinwagen nodig. De onverharde weg naar San José de Ocoa is alleen voor avonturiers.

Guaguas: er rijden regelmatig minibussen naar de Autopista Duarte (RD$ 180, 1,5 uur.).

Agenda

Feest van de patroonheilige: in september (de exacte data variëren). Een negen dagen durend feest ter ere van de Virgen de las Mercedes.

Over het dal van Constanza wordt gezegd: God is overal, maar hij woont hier

All-inclusivetoerist of hippie, aan de noordkust vindt iedereen zijn plek: hetzij in het slaperige Monte Cristi, hetzij in het drukke Puerto Plata. Of anders in de levendige surfplaats Cabarete of op het schiereiland Samaná.

Puerto Plata ▶ E 1
Stadsplattegrond blz. 82

Puerto Plata (150.000 inwoners) werd in 1496 gesticht en is daarmee een van de oudste steden van het eiland. Toch heeft het betere dagen gekend. De stad is weliswaar het economische centrum van het noorden, maar aan de bloei als welvarende handelsplaats herinnert tegenwoordig alleen nog de **oude stad** (**9** blz. 84, **1** - **10**).

Een kabelbaan brengt u naar de top van de 793 m hoge **Pico Isabel de Torres**, de huisberg van Puerto Plata. Boven spreidt een kleine kopie van het christusbeeld van Rio zijn armen uit. U hebt er een fantastisch uitzicht op de stad en de zee (vanaf de Circunvalación Sur gemarkeerd, tel. 809 586 21 22, dag. 9-17 uur. RD$ 350). Aan **Long Beach** ten oosten van de Malecón baden veel Domincanen. De **Playa Dorada**, nog meer naar het oosten, strekt zich voor het gelijknamige stadsdeel uit. Aan de westkant liggen de **Playa Cofresí** en **Costámbar**.

Overnachten

Naast de vele vergelijkbare resorts aan de Playa Dorada en Playa Cofresí zijn er enkele zelfstandige hotels.

Onder de mango's – **Atlántico** **1**: Calle 12 de Julio 24, tel. 809 586 61 08, 2 pk vanaf RD$ 500. Vriendelijk pension met zeven kamers in een koloniaal gebouw. Grote mangoboom op de binnenplaats.

In het centrum – **Victoriano** **2**: Calle San Felipe/Calle Restauración, tel. 809 586 97 52, 2 pk vanaf RD$ 800. Centraal koloniaal huis met 25 kamers. Parkeergelegenheid.

Bergpanorama – **Hotel Mountain View** **3**: Calle Kunhardt/Calle Villanueva, tel. 809 586 57 57, 2 pk RD$ 1000. Het beste onder de voordelige hotels. 22 kamers, waarvan sommige met uitzicht op de berg.

Eten en drinken
1 - **4**: zie blz. 83

Nr. 1 – **Mares** **5**: Calle Francisco J. Peinado/Calle Presidente Vásquez, tel. 809 261 33 30, wo.-zo. 16-24 uur. Het beste restaurant van de stad, verstopt in een tuin. Dominicaanse gerechten vanaf RD$ 165.

Beter dan Italië – **Stefy & Natale** **6**: aan de weg naar Imbert, voorbij Costamabar rechts gemarkeerd, tel. 809 970 76 30, aug.-mei di.-zo. 16-23 uur. De beste Italiaan van de regio. Eigengemaakte pasta, creatieve variaties (RD$ 490-600), zoals pompoen-saffraanravioli.

Vlinders in je buik – **Le Papillon** **7**: aan de weg naar Imbert, voorbij Costámbar links gemarkeerd, tel. 809 970 76 40, www.lepapillon-puertoplata.com, di.-zo. vanaf 18 uur. Onder een dak van palmbladeren worden filets, kreeft en vegetarische gerechten geserveerd.

Puerto Plata

Bezienswaardigheden

1. Parque Central
2. Iglesia San Felipe
3. Malecón
4. Vrijmetselaarstempel
5. Brandweer
6. San Felipevesting
7. Calle El Bosco
8. Calle 30 de Marzo/Haïtiaanse ambachtslieden
9. Museo del Ámbar
10. Museo de Arte Taíno

Overnachten

1. Atlántico
2. Victoriano
3. Hotel Mountain View

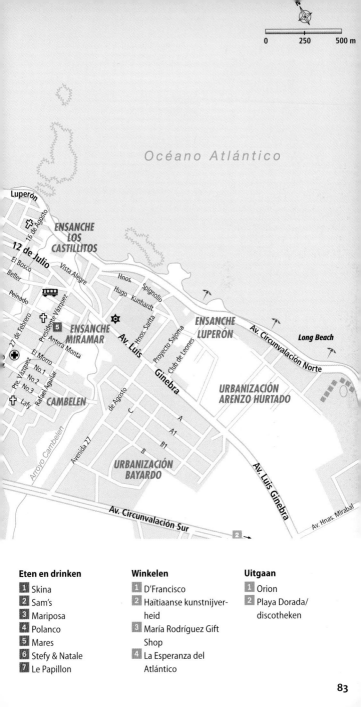

Océano Atlántico

0   250   500 m

Luperón

ENSANCHE LOS CASTILLITOS

16 de Agosto

12 de Julio

El Bosco

Beller

Peinado

27 de Febrero

Presidente Vázquez

ENSANCHE MIRAMAR

Antera Monta

El Morro

Pre. Vázquez No. 1

Pre. Vázquez No. 2

Rafael Aguilar

Pre. Vázquez No. 3

Lafy

CAMBELEN

Arroyo Cambelen

de Agosto

Avenida 77

URBANIZACIÓN BAYARDO

Vista Alegre

Hnos. Spignollo

Hugo Kunhardt

Hnos. Sarita

Proyecto Sajoma

Club de Leones

ENSANCHE LUPERÓN

Av. Luis Ginebra

URBANIZACIÓN ARENZO HURTADO

Av. Circunvalación Norte

Long Beach

A

A1

B1

B

Av. Circunvalación Sur

Av. Luis Ginebra

Av. Hnos. Mirabal

Eten en drinken

1 Skina
2 Sam's
3 Mariposa
4 Polanco
5 Mares
6 Stefy & Natale
7 Le Papillon

Winkelen

1 D'Francisco
2 Haïtiaanse kunstnijver-heid
3 María Rodríguez Gift Shop
4 La Esperanza del Atlántico

Uitgaan

1 Orion
2 Playa Dorada/discotheken

⑨ Victoriaanse pracht – de oude stad van Puerto Plata

Kaart: ▶ E 1, stadsplattegrond: blz. 82
duur rondwandeling: een halve dag

Deze stad is een juweel – maar dan ongeslepen. De historische kern van Puerto Plata bestaat uit kleurrijke victoriaanse huizen, een uniek ensemble. Het ontstond in de bloeitijd van de plaats in de 19e eeuw. Inmiddels is men bezig de oude stad te renoveren – waarmee het juweel eindelijk zijn welverdiende glans krijgt.

De historische stadskern omvat ongeveer 80 huizenblokken in de driehoek tussen de haven en de Malecón. Hoewel het schaakbordpatroon een goede oriëntatie biedt, komt een stadsplattegrond zeker van pas. Overdag is Puerto Plata veilig, maar 's avonds moet u de donkere plekken en het havengebied vermijden.

Veelbewogen geschiedenis

Toen Columbus in januari 1493 langs deze kust zeilde, besloot hij er gelijk een nederzetting te bouwen. Hij beschreef de omgeving als 'rijk aan wild met een overvloed aan rivieren en goud'. Bovendien was het een goede ankerplaats. In 1496 stichtte zijn broer Bartolomé de plaats Puerto Plata (zilverhaven). Slechts 110 jaar later werd de stad weer opgegeven en verwoest – zoals alle plaatsen in het noorden. De Spaanse koningen wilden de smokkelhandel beëindigen, die de plaatselijke kolonisten met de Fransen onderhielden. In 1736 waagde men een wederopbouw van Puerto Plata en vestigden zich hier 46 families van de Canarische Eilanden. Zijn bloeitijd beleefde de stad echter pas in de 19e eeuw, toen via deze haven koffie, tabak en rum uit het Cibaodal werden verscheept. Uit deze periode stammen de meeste huizen in het centrum: bont beschilderde houten gebouwen met gezellige veranda's, waarop nog altijd schommelstoelen staan. Karakteristiek is de nogal speelse pe-

perkoekstijl met sierlijke balustrades, vensters en zuilen.

In de 20e eeuw kende Puerto Plata vervolgens een neergang, die pas met de komst van het toerisme halverwege de jaren '80 ophield. In deze periode werden de eerste hotelcomplexen rond de stad gebouwd. Daarbij kwam een vrijhandelszone. Uiteindelijk verlamden een gebrek aan investeringen en de internationale economische crisis deze belangrijkste bron van inkomsten voor de stad. Gelukkig wordt inmiddels in elk geval geprobeerd het verwaarloosde centrum iets van zijn voormalige glans terug te geven.

Bij het Parque Central

Het door palmen omzoomde **Parque Central** 1 behoort na zijn renovatie tot de opgeruimdste pleinen van het land. Men heeft het opnieuw geplaveid en nieuwe straatlantaarns en banken geplaatst. Bijzondere vermelding verdient het twee verdiepingen tellende witte paviljoen in het midden. Aan het begin van de avond zitten hier families, jongeren en dominospelers. Soms waait er muziek over uit het witte houten huis op de zuidwesthoek van het plein, een protestantse kerk.

De **Iglesia San Felipe** 2, een art-decogebouw uit 1934 aan de noordkant, werd fraai gerenoveerd nadat de orkaan George hem in 1998 had verwoest.

Oude hotels, nieuwe gebruikers

Waar tegenwoordig de souvenirwinkel **D'Francisco** 1 zit, bevond zich aan het eind van de 19e eeuw het beste hotel van de stad. In het in 1898 geopende **Hotel Ranieri** logeerden tot de sluiting in 1946 hoge Amerikaanse marineofficieren, die de champagnekelder op prijs wisten te stellen.

In een bouwvallig huis niet ver daarvandaan moet het oudste hotel van de stad, **Hotel Castilla**, vanaf 1896 gasten hebben ontvangen. Intussen is hier het veel door Engelsen bezochte café **Sam's** 2 gevestigd, waartoe ook een spotgoedkope herberg behoort.

Aan de Malecón

De **Malecón** 3 is enkele jaren geleden gerenoveerd. De 3,5 km lange boulevard heeft inmiddels een wijnrood trottoir en een fietspad, dat meestal door joggers wordt gebruikt. De prostituees, venters en snackverkopers werden verdreven, en voor sommigen doet de Malecón nu een beetje steriel aan. Echt gezellig is het hier allleen nog op zon- en feestdagen.

Hier vindt u ook de imposante **vrijmetselaarstempel** 4 en de **brandweer** 5. De laatste stamt uit 1930 en een blik op het wagenpark in het karakteristieke art-decohuis (aan de zuidzuide) is zeker interessant. Daar staan fraaie, tientallen jaren oude brandweerwagens.

Het **San Felipefort** 6 aan de westkant van de Malecón stamt uit de 16e eeuw en is het enige gebouw uit de beginjaren van de kolonie. Het moest de haven tegen piraten beschermen. Een klein museum toont vondsten uit deze periode. Later zat de grondlegger van de Dominicaanse Republiek, Juan Pablo Duarte, hier gevangen. Aan hem herinnert het monument op de rotonde voor het fort. Er staat ook een gedenksteen voor de 189 passagiers die in 1996 bij het neerstorten van een Birgenairtoestel in de zee voor Puerto Plata om het leven kwamen. Het vliegtuig ligt hier nog altijd op 1000 m diepte.

Victoriaans en Haïtiaans

Parallel aan de Malecón ligt de **Calle El Bosco** 7 (vroeger de Calle John F. Kennedy), een van de mooiste victoriaanse straten van de stad. Wanneer u hier 's avonds wandelt, hoort u vanuit de huizen zeker het klakken van domino-stenen – misschien wel het meest karakteristieke geluid van het land. Tussen de Calle San Felipe en Calle 30 de Marzo staat een van de weinige oorspronkelijke gebouwen van de stad, met een weelderig versierde gevel.

Wanneer u langs de **Calle 30 de Marzo** naar het zuiden loopt, komt u in de wijk van de Haïtiaanse **ambachtslieden** **8**, die in open ateliers werken. U mag toekijken bij de productie van hun beelden, die in het hele land worden verkocht. Toch wordt er duidelijk niet in deze wijk geïnvesteerd. Hij maakt een armoedige indruk en spreekt boekdelen over de behandeling van immigranten uit het buurland.

Museo del Ámbar **9**

Slechts twee straten ten oosten van het Parque Central bevindt zich het mooiste victoriaanse stenen huis van de stad. Witgekalkt met veranda's, trappen en zuilen doet het aan de prachtige herenhuizen in het zuiden van de Verenigde Staten denken. Op de bovenste verdieping vindt u het Museo del Ámbar, het ambermuseum, met een indrukwekkende collectie: miljoenen jaren oude vondsten uit de regio, vaak met ingesloten insecten. Niet voor niets heeft deze kuststrook de bijnaam amberkust. Het pronkstuk van de omvangrijke verzameling is een forse steen met een ingesloten, perfect geconserveerde mug die een rol speelt in de film *Jurassic Park* van Steven Spielberg. Uit het fotogenieke diertje wordt bloed met dinosaurus-DNA gehaald. De museumgids zal u onder meer laten zien hoe een valse ambersteen van een echt exemplaar kan worden onderscheiden. Op de eerste verdieping vindt u een winkel met een ruime keus aan stenen, sieraden en sigaren.

Informatie

San Felipefort: aan de westkant van de Malecón, di.-zo. 9-17 uur, RD$ 40.
Museo del Ámbar: Calle Duarte 61/Calle Emilio Prud'Homme, tel. 809 261 36 10, www.ambermuseum.com, ma.-vr. 9-17, za.8-14 uur, RD$ 50.

Nog een museum

Museo de Arte Taíno **10:** Calle San Felipe 22, 1ste verdieping, ma.-vr. 9-12, 14-18, za. tot 12 uur. Mooi particulier museum met kopieën van indiaanse gebruiksvoorwerpen.

Eten en drinken

Skina **1:** Calle Separación/Calle 12 de Julio, tel. 809 979 19 50. Onder de bomen, midden in het centrum. Regionale specialiteiten als *lambi* vanaf RD$ 290.
Sam's **2:** Calle José del Carmen Ariza 34, dag. geopend. Het populaire café van het voormalige Hotel Castilla is ondertussen een instituut.
Mariposa **3:** Calle Beller 38, bij het Parque Central, ma.-vr. 8-23, za. en zo. tot 23.30 uur. Geliefde ijssalon in een geel-groen gestreept huis. Onder leiding van een Oostenrijker.
Polanco **4:** Calle Beller 60/Calle Emilio Prud'Homme, tel. 809 586 91 74, dag. 8-24 uur. Gezellig koloniaal restaurant met het nationale gerecht *bandera dominicana* (RD$ 160).

Winkelen

D'Francisco **1:** Calle Beller 28, tel. 809 261 04 98, ma.-za. 8-18 uur. Naast beelden, sigarenkisten en mamajuana-flessen ook amber en larimar.
Haïtiaanse kunstnijverheid **2:** Calle Restauración 6. Een curieuze Haïtiaanse kunstnijverheidswinkel. De zaak is volgepakt met houtsnijwerk en schilderijen.

Winkelen

Souvenirwinkels vindt u ten westen van het Parque Central, in de **Calle Duarte** en **Calle Beller**. Zie ook  1 - 2, blz. 84.

Meer souvenirs – **María Rodríguez Gift Shop** 3: Calle Antera Mota/Calle José Ramón López, tel. 509 586 71 17, ma.-vr. 8-17, za. 8-12 uur. Van hier stammen veel van de souvenirs die op het hele eiland worden aangeboden. Twee verdiepingen, zeer voordelig!

Sigarenfabriek – **La Esperanza del Atlántico** 4: Calle Duarte 23, dag. 9-17.45 uur. tel. 809 71 50 907. Gottfried Palm, die hier 24 jaar geleden naartoe emigreerde, geeft tekst en uitleg.

Uitgaan

Authentiek – **Orion** 1: Calle 30 de Marzo/Calle 12 de Julio, dag. 22 uur tot laat, toegang gratis. Bachata tot je er bij neervalt.

Vroege avond – **Casetas:** aan de oostelijke Malecón vindt u kleine strandbars.

Populaire toeristendiscotheken – **Playa Dorada** 2: Populair aan de Playa Dorada zijn momenteel Coco Bongo, Mister Rock en Hemingway's.

Sport en activiteiten

Paardrijden – **Rancho Lorilar:** Sábana Grande, tegenover de Brugalrumfabriek, ca. 1 km landinwaarts, tel. 809 320 04 98, www.lorilarranch.com. Paardrijden voor kinderen, hele dag US$ 70 p.p.

Avontuur – **Yasika Adventures:** La Cruz de Yasika, Carretera Turística in de richting van Santiago, tel. 809 650 23 23, www.yasikaadventures.com. Zip-lining (afdalen aan een staalkabel) 30 m boven de grond tussen de palmbomen, US$ 84.

Duiken en snorkelen – **Diwa Dominicana Dive Center:** Plaza Turisol, tegenover de Brugalfabriek, tel. 809 261 31 50, www.diwadominicana.com. Geliefde duikschool. Beginnerscursus vanaf US$ 350.

Genieten – **Jasmine Spa & Wellness Centre:** Tubagua, Carretera Turística in de richting van Santiago, Km 22. tel. 829 252 52 72, www.jasmine-spa-wellness.com. Voor een peeling, massage,

Uitzicht vanaf de Pico Isabel op Puerto Plata, de 'zilverhaven'

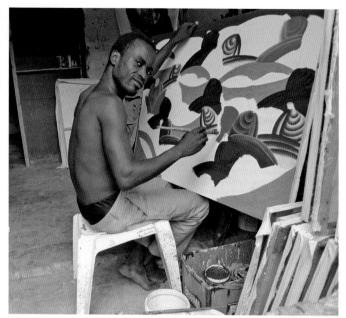

In Puerto Plata werken Haïtiaanse kunstenaars in open ateliers

maskers etc. in de bergen; één dag inclusief lunch US$ 125.

Informatie en agenda

Oficina de Turismo: Calle José Carmen Ariza 45, tel. 809 586 36 76, ma.-vr. 8-17 uur. Betere informatie vindt u op www.popreport.com.

Carnaval: feb./maart

Cultureel festival: derde week van juni, dans, muziek, kunstnijverheid.

Feest van de Heilige Geest: 6-10. juli. Er wordt flink gedanst! En wel door de van de Canaren afstammende Carabiñé.

Jazzfestival: okt./nov. Concerten in Puerto Plata en aan de Playa Dorada.

Merenguefestival: okt./nov. Met muzikanten uit het hele Caribisch gebied.

Vervoer

Streekbussen: ieder uur naar Santiago en Santo Domingo met Caribe Tours

(Calle Camino Real/Calle Kunhardt, tel. 809 586 45 44) en Metro (Calle Beller/Calle 16 de Agosto, tel. 809 586 60 62).

Guaguas: minibussen naar alle westelijk en oostelijk gelegen plaatsen.

Taxi: bij het Parque Central. Voordelig is Tecni Taxi, Plaza Ortega, tel. 809 320 76 21.

Motoconchos: stadsrit 25 RD$.

Autoverhuur: verhuurders aan de Malecón en bij de luchthaven; Avis, tel. 809 586 02 14; Hertz, tel. 809 586 02 00; Nelly, tel. 809 586 05 05. Aanbevolen wordt Kobi Rent in het nabijgelegen Sosúa, Perla Marina, tel. 809 571 15 78, www.kobirent.com, vanaf US$ 39 per dag, relatief laag eigen risico, onder Duitse leiding.

Luchthaven: Gregorio Luperón Airport, ca. 17 km naar het oosten, tel. 809 586 01 75, www.aerodom.com. Verbindingen met Arkefly en Martinair naar Amsterdam en Jetairfly naar Brussel.

In de omgeving

Een groot avontuur zijn de 27 watervallen van Damajagua (⑩ blz. 90) bij **Imbert**.

De vissersplaats **Luperón** (▶ D 1, 17.000 inwoners) is vooral bekend vanwege zijn orkaanveilige jachthaven. In de Marina Luperón Yacht Club kunt u op een mooi terras aan de baai kreeft eten vanaf RD$ 690 (Ciudad Marina, afslag naar de Hotasa Luperón, tel. 809 399 76 35, www.luperonmarina.com, dag. 12-21 uur).

El Castillo en La Isabela ▶ D 1

Columbus landde hier in 1493 met zeventien schepen en stichtte de eerste permanente Europese nederzetting van de Nieuwe Wereld. Orkanen en indianen maakten de Spanjaarden echter het leven zuur. Daarom trokken ze in 1496 naar het zuiden, waar ze La Nueva Isabela stichtten – het huidige Santo Domingo.

In het **Parque Nacional Histórica La Isabela** (dag. 8-17.30, RD$ 100) hebben archeologen de fundamenten van de eerste Europese stad in Amerika blootgelegd. Een museum toont de vondsten.

Boven de ruïnes staat de **Templo de las Américas**, een replica van de kerk van La Isabela, gebouwd ter gelegenheid van de 500e gedenkdag van de stichting van de nederzetting.

Overnachten

Op historische grond – **Rancho del Sol:** El Castillo, tel. 809 696 03 25, 2 pk vanaf RD$ 1400 inclusief ontbijt. Vriendelijk onderkomen met acht kamers en toegang tot een kiezelstrand.

Eten en drinken

Gezellig – **Olivo:** aan de weg naar Luperón. Door een familie gedreven restaurant met een terras en de beste vis in de omgeving, vanaf RD$ 200.

Winkelen

Taínosieraden – Bij de ingang van de archeologische vindplaats vindt u een **werkplaats**, waar houten figuurtjes worden gesneden.

Sport en activiteiten

Baden – Het **dorpsstrand** krijgt geen schoonheidsprijs. Waarschijnlijk bent u de enige bezoeker.

Vervoer

Wanneer u met de auto via Villa Isabela komt, moet u door de Río Bajabónico rijden!
Guaguas: naar Imbert.

Castillo del Pirata

Het is een van de vreemdste gebouwen op het eiland: de Fransman George heeft bij El Castillo een huis gebouwd in de vorm van een schip met de maten van Columbus' *Santa María*. Tot eind 2009 serveerde hij op het dek vis- en vleesgerechten. Toen werd er ingebroken en moest hij zijn bedrijf opgeven. Maar George grilt kippetjes voor iedereen die er stopt en wanneer u telefonisch reserveert, maakt hij ook grotere gerechten. George hoopt het restaurant weer te kunnen openen en neemt alle hulp in dank aan. U kunt zijn 'schip' op elk gewenst moment bezoeken, op het dek een biertje drinken en mijmeren hoe Columbus' vloot ooit in de baai voor anker lag. George verhuurt twee kamers in de scheepsromp (vanaf RD$ 500). Adres: El Castillo, weg naar Luperón, tel. 809 235 66 52 / 829 717 17 89.

⑩ Een nat avontuur – de watervallen van Damajagua

Kaart: ▶ D1
Plaats: Ca. 27 km ten zuidwesten van Puerto Plata, duur: 2-5 uur
alleen met een gids

Het is nauwelijks te geloven dat de 27 watervallen van Damajagua pas enkele jaren geleden werden ontsloten. De verkenning van het schitterende natuurmonument behoort tot de grootste avonturen van de hele regio. U zwemt door de smalle Río Damajagua en klimt door kleine kloven. Op de terugweg springt u dan in de waterbekkens of glijdt u door de watervallen naar beneden.

U hebt de keuze tussen de verkenning van 7, 12 of 27 watervallen. Kies afhankelijk van uw conditie en de beschikbare tijd. De meeste toeristengroepen gaan slechts tot de zevende waterval (ongeveer twee uur). Vanaf de twaalfde waterval wordt het vermoeiender en lastiger. Voor alle 27 watervallen hebt u in totaal 3-5 uur nodig. Onderweg wordt u begeleid door een gids. U moet stevige schoenen dragen, liefst sandalen die kunnen worden vastgemaakt, en geen hoogtevrees hebben. Brildragers kunnen indien mogelijk beter voor contactlenzen kiezen.

De voorgeschiedenis

De mensen uit de omgeving kenden het geheim al lang. Al tientallen jaren wisten ze een uniek rivierenlandschap in de bergen. De jongeren kwamen hier om te spelen of de rivier verder te verkennen. Want hoe veel watervallen waren er nou eigenlijk stroomopwaarts in de Río Damajagua? Uiteindelijk werden er 27 geteld: ze werden de '27 charcos de Damajagua' gedoopt **1**. Het woord *charco* kan met 'waterbekkens' worden vertaald.

In 1994 werden de schitterende watervallen door de eerste toeristen ontdekt en toch duurde het nog ongeveer tien jaar voordat ze voor het grote publiek toegankelijk werden gemaakt. In 2004 verdronk hier een twaalfjarige bezoeker, waarop de Amerikaanse Vredeskorpsvrijwilliger Joe Kennedy 80.000 dollar ter verbetering van de veiligheid bijeenbracht. De Amerikaanse ontwikkelingshulp en de VN schonken de kleinzoon van Robert Kennedy het bedrag, waarmee het huidige bezoekerscentrum werd gebouwd. Tegenwoordig komen hier jaarlijks ongeveer 50.000 bezoekers, die door 35 jonge mannen uit de regio worden rondgeleid. Van elk toegangskaartje gaat RD$ 30 naar een charitatief project. Er wordt onder meer een schoolbus mee onderhouden.

De tocht

In het bezoekerscentrum krijgt u een helm en een zwemvest. Dan steekt u de rotsige Río Bajabonico over en loopt u over een bospad. Bij de eerste waterval die u bereikt moeten de Taíno-indianen ooit een beeld van Maria hebben opgericht, waarvan echter niets meer is te zien. U zwemt door het helderblauwe waterbekken en klimt langs een houten ladder omhoog. Hier sluit de kloof zich

> **Overigens:** de fraaie watervallen kunnen het beste 's ochtends worden bezocht. Dan is het veel rustiger en hebt u meer aan de *charcos*. 's Middags komen de groepen met toeristen.

en u zwemt tegen de stroom in. De watervallen, die tot 6 m hoog zijn, dragen namen als 'aarden pot' of 'kurkentrekker'. Het punt waar veel groepen omkeren, wordt de 'grot' genoemd: een kloof waarvan het rotsreliëf de waterstanden van de afgelopen miljoenen jaren prijsgeeft. Dan begint het eigenlijke avontuur: je krijgt de indruk dat dit werkelijk het 'best bewaarde geheim van de Dominicaanse Republiek' is, zoals wordt beweerd. Boven waterval nr. 12 gaan de gidsen alleen bij laag water verder. Later bereikt u de waterval 'warm en koud', waar het water tegen de natuurwetten in onder warmer is dan boven. Ga hier alleen naartoe als u op de terugweg enkele meters naar beneden in een waterpoel durft te springen en door de watervallen naar beneden durft te glijden. Wie lef heeft, wacht een onvergetelijke ervaring.

Informatie

Charcos de Damajagua 🔟: enkele kilometers voorbij Imbert in de richting van Santiago gemarkeerd, tel. 809 387 36 37, www.27charcos.com, 8.30-16 uur. 1 tot 7 watervallen RD$ 250, tot 12 watervallen RD$ 310, tot 27 watervallen RD$ 460 (prijs p.p. inclusief gids, helm en vest). Kinderen jonger dan 8 jaar mogen alleen de eerste waterval beklimmen. Voor camera's heeft de gids een plastic tas.

Routebeschrijving

Per guagua vanuit Puerto Plata. U moet uitstappen bij de *Veintisiete Charcos de Damajagua*.

Eten en drinken

Tussen Imbert en Puerto Plata vindt u *comedores* in het dorp **Maimón**.

Punta Rucia ▶ C 1

Het grootste deel van de tijd slaapt dit dorp (300 inwoners). Eenmaal per dag schrikt het wakker, wanneer de toeristengroepen komen om het kleine eiland Cayo Arena, beter bekend als **Cayo Paraíso**, voor de kust te bezoeken (zie onder). Ongeveer 2 km ten oosten van het dorp ligt het heerlijke, halvemaanvormige strand **La Ensenada**.

Overnachten

Liefdevol – **Casa Libre:** iets verderop, tel. 809 834 59 92, 2 pk RD$ 900 inclusief ontbijt. Drie kleurige hutten op een heuvel. Onder leiding van het immigrantenechtpaar Guertie en Marc.

Jacuzzi – **Villa Nadine:** Ortsmitte, tel. 829 264 00 67, villanadine@comcast. net, RD$ 1000 p.p. Kamer met uitzicht op zee. Op het dak vindt u een jacuzzi.

Eten en drinken

Aan het strand – **Playa Ensenada:** ca. 2 km naar het oosten. Veel strandtenten. Gegrilde vis ongeveer RD$ 200.

Sport en activiteiten

Eilandexcursie – **El Paraíso Tours:** tel. 809 320 76 06, US$ 40 p.p. inclusief eten. Zo'n 15 km voor de kust ligt het koraaleiland Cayo Arena, dat door touroperators Cayo Paraíso wordt genoemd. Het 25 x 15 m grote eiland ligt op een rif, dat u snorkelend en duikend kunt verkennen. Voor tochten kunt u ook terecht bij Guertie van Casa Libre (zie Overnachten).

Duiken – **Caribe-Punta-Rusia:** tel. 809 757 22 52, www.caribe-punta-rusia.com. Een duikstation in ontwikkeling. Voor de kust ligt een keten van atollen met ongeveer 275 riffen.

Vervoer

Punta Rucia is het beste vanuit het zuiden te bereiken. Vanuit El Castillo moet u door twee rivieren rijden.

Monte Cristi ▶ B 1

Op het eerste gezicht lijkt Monte Cristi (25.000 inwoners) een drukke plaats, maar schijn bedriegt. Aan de rand staan weliswaar vrachtwagens, maar die rijden verder naar Haïti. Het slaperige stadje Monte Cristi vormt een goede uitvalsbasis om de omgeving te verkennen, bijvoorbeeld de nabijgelegen El Morro (⑪ blz. 93). Bezienswaardig in de plaats zelf is de **Plaza de Reloj**, met een stalen klokkentoren die in 1895 door Gustave Eiffel werd gebouwd.

Overnachten

De eeuwige tuin – **Los Jardines:** Playa Juan de Bolaños, tel. 809 853 00 40, www.elbistrot.com, 2 pk ongeveer RD$ 1700. Vier kamers in een tuintje aan zee. Onder dezelfde leiding als El Bistrot (zie onder).

Aan de voet van de berg – **Hostal San Fernando:** Carretera del Morro Km 2, tel. 809 579 22 49, 2 pk RD$ 1760. Twintig bungalows in de buurt van El Morro. Goed restaurant, maar de bediening zou beter kunnen.

Eten en drinken

Hier kookt Hervé – **El Bistrot:** Calle San Fernando 26, tel. 809 853 00 40, www. elbistrot.com, ma.-vr. 12-14.30, 18-24, za.e zo. 12-24 uur. Hoofdgerechten voor ongeveer RD$ 300. Hervé uit Frankrijk serveert onder meer *chivo picante* (pikant geitenvlees) en gegrilde inktvis.

En hier Ernesto – **Restaurant Milano:** Calle Camargo 48, tel. 809 579 30 19. Ernesto uit Italië maakt spaghetti met zeevruchten, 2 p. vanaf RD$ 500.

Sport en activiteiten

Boottochten – Bij Hervé van El Bistrot/ Los Jardines en Hostal San Fernando kunt u excursies regelen door de **mangrovenmoerassen**, naar het **Isla Cabra**, naar de verlaten archipel **Siete Herma-**

11 De berg aan het einde van de wereld – beklimming van El Morro

Kaart: ▶ B 1
Plaats: Ca. 5 km ten noorden van Monte Cristi

El Morro is niet de hoogste, noch de mooiste berg van de Dominicaanse Republiek. Toch is het zeker een van de bijzonderste. Als een tulband verheft hij zich uit het vlakke landschap en markeert hij als een vuurtoren de noordwestelijke punt van het land. Geen wonder dat Columbus er vijf eeuwen geleden al zeer van onder de indruk was. En dan had hij hem nog niet eens beklommen.

Op 4 januari 1493 zeilde Columbus langs dit deel van de kust. Hij noteerde dat hij een 'zeer hoge, mooie berg' had gezien. Niet voor de eerste maal vergiste hij zich. Want de berg, die hij Monte Cristi doopte, is met 239 m eerder een heuvel. Hij maakt tegenwoordig deel uit van het **Parque Nacional Monte Cristi**, waarin zich ook het grootste koraalrif en het grootste mangrovenmoeras van het land bevinden.

Langs zoutwaterbekkens

El Morro, simpelweg 'de heuvel', verheft zich ongeveer 5 km van Monte Cristi op een landtong. U kunt er naartoe lopen of de auto nemen. In beide gevallen verlaat u de stad langs de Avenida San Fernando, die eerst langs enkele grote zoutpannen voert. Het gaat hier om **zoutwaterbekkens** 1, waar met behulp van verdamping zout wordt gewonnen. De plaatselijke fabriek is de grootste van het land.

Aan het einde van de zoutpannen volgt u de weg, die nu parallel aan de zee naar El Morro leidt. U passeert de jachthaven van Monte Cristi, erachter begint een winderig landschap met kleine bomen. Achter de begroeiing verbergt zich een enorm mangrovenmoeras, waarvan de grootte alleen vanaf El Morro is te zien.

Overigens draagt de berg vanwege zijn gebochelde vorm de bijnaam 'slapende dromedaris'. Sla direct voor de

Overigens: de beklimming van El Morro voert gedeeltelijk door dicht struikgewas. Trek er minimaal twee uur voor uit en ga het liefst 's ochtends of 's avonds. Neem in elk geval water en stevige schoenen mee.

'dromedaris' linksaf naar het groene houten huis van de beheerders van het nationale park. Erachter ligt een parkeerplaats. Voor u strekt zich nu een klein strand uit, waar de zee heftig tegenaan beukt.

De beklimming

Het pad naar de top van **El Morro**  begint schuin tegenover het nationaal parkkantoor. De houtresten die er liggen waren ooit een trap. In 2002 werd deze helaas verwoest. Hoewel men het onderste deel van de treden heeft opgeruimd, verspert het bovenste deel, broos en gebroken, de weg. Balanceert u niet op de resten, ook niet wanneer de weg ernaast glad is. Na de ongeveer 20 minuten durende klim staat u op de laatste uitloper van de noordelijke cordillera. Voor u strekt zich het nationale park Monte Cristi uit: aan de horizon achter de stad stroomt de Río Yaque del Norte in de baai van Monte Cristi. Met 298 km is dit de langste rivier van de Dominicaanse Republiek. Links van u ligt het grootste **mangrovenmoeras** van het land en rechts in zee ziet u het onbewoonde **Isla Cabra**.

Op de heuvelrug

Loop over de heuvelrug naar het andere eind van de heuvel (ruw geschat 750 m). Hier lag vroeger een pad, maar dit is ondertussen dichtgegroeid. Tegenwoordig moet u zich een weg banen door de vegetatie en zou u wensen een machete te hebben meegenomen. Let op het vele groen van de knoestige acaciabomen en de schitterende bloemenpracht, op de uiterst zeldzame struiken, op de witte, rode en lilakleurige bloemen, op de heerlijk frisse lucht, de stilte en het ruisen van de zee. Het uitzicht aan de andere kant van El Morro is werkelijk subliem. U kijkt daar uit op de **Bahía de Icaquitos** en de noordelijke cordillera. Daar, waar de zee wit schuimt, ligt het langste koraalrif van het land, waaraan vele schepen ten onder zijn gegaan. Dat van Columbus kwam er met veel geluk voorbij.

De route

Wanneer u vanuit Monte Cristi te voet komt, hebt u tot de parkeerplaats ongeveer een uur extra nodig.

Even bijkomen

Het dichtstbijzijnde en beste restaurant is **Coco Mar**, Playa Juan de Bolaños, tel. 809 579 33 54, hoofdgerechten ongeveer RD$ 300. Op het terras met uitzicht op de zee waait een aangenaam briesje. De porties zijn genereus, de inrichting is vrolijk en de bediening is charmant – wat wil een mens nog meer?

nos of naar het Haïtiaanse **Fort Liberté**. Voor boottochten kunt u ook terecht bij de toeristenpolitie Politur tegenover de jachthaven, tel. 809 754 29 78

Duiken – Voor duikexcursies naar gezonken **karvelen** uit de 16e t/m 18e eeuw kunt u contact opnemen met Hostal San Fernando of Hervé van El Bistrot/Los Jardines.

Agenda

Carnaval: februari/maart *Toros* leveren gevechten met de *civiles*. Opwindend, kleurrijk en luidruchtig.

Feest van de patroonheilige: 30 mei ter ere van de patroonheilige van de provincie.

Vervoer

Streekbussen: Caribetours, Av. Mella/Calle Camargo, tel. 809 570 21 29. Naar Santiago en Santo Domingo.

Guaguas: Calle Duarte/nahe Av. 27 de Febrero. Minibussen naar Santiago en Dajabón.

Sosúa ▶ E 1

Dit stadje probeert zich van zijn seks- en drugsimago te ontdoen, maar elke dag vanaf het middaguur dwalen de plaatselijke prostituees en eenzame heren uit het buitenland alweer langs de centraal gelegen Calle Pedro Clisante. Wie daar niet zo moeilijk over doet, kan in Sosúa terecht voor enkele goede hotels en restaurants. En met de kleine **Playa Alicia** is dit ook een alternatief voor de hectische Playa Sosúa.

In de omgeving van Sosúa kunt u een rondrit maken door het vruchtbare Ci-baodal (⑫ blz. 96).

Museo Judío

Calle Alejo Martínez, ma.-vr. 9-13, 14-16 uur. RD$ 75

De geschiedenis van Sosúa is nauw verbonden met de joodse inwoners. Op de

vlucht voor de nazi's werd hen in de jaren '40 door dictator Trujillo een toevluchtsoord geboden om het 'Dominicaanse ras te verlichten'. De vluchtelingen stonden aan de basis van de landbouweconomie van Sosúa. Een klein museum naast de synagoge (1940) illustreert de geschiedenis van de kolonisten.

Overnachten

In het oog van de orkaan – **Casa Valeria:** Calle Dr. Rosen 28, tel. 809 571 356 65, www.hotelcasavaleria.com, 2 pk vanaf RD$ 1650. Rustig hotel met elf kamers, een klein zwembad en een restaurant. Manager Volker weet van alles over Sosúa te vertellen.

Mexicaans – **El Rancho:** Calle Dr. Rosen 36, tel. 809 57 40 70, www.hotelelranchososua.com, 2 pk vanaf DR$ 1450. Complex in Mexicaanse stijl met 18 kamers, een bar en een zwembad.

Witte droom – **Casa 21:** Calle Piano, Reparto Tavares, tel. 829 341 85 51, www.casaveintiuno.com, vanaf € 75. Viet witte kamers boven de weg naar Puerto Plata. Op het terras serveren de Belgische eigenaren heerlijke gerechten.

Eten en drinken

Schwarzbrot – **Panadería Moser:** Calle Pablo Neruda, tel. 809 571 33 83, ma.-za. 7-19 uur. Deze bakkerij richt zich met donker brood op Duitse immigranten en toeristen.

Informeel – **On the Waterfront:** Calle Dr. Rosen 1, tel. 809 571 30 24, dag. 12-24 uur. Restaurant met terras aan de Playa Alicia. Vis vanaf RD$ 535. Happy hour bij zonsondergang.

Kitscherig – **Piergiorgio Palace:** Calle Puntilla 1, tel. 809 571 26 26, www.piergiorgiopalace.com, dag. 12-22.30 uur. Hoofdgerechten voor ongeveer RD$ 700. Hoofdattractie zijn de balkonnissen boven de klippen. Dit moet je hebben gezien.

12 Koffie, cacao en geschiedenis – door het Cibaodal

Kaart: ▶ E/F 1-3
Vervoer: Rondrit per personenauto: ca. 200 km. Duur: 1-2 dagen

De Valle del Cibao is de 'graan-schuur' van de Dominicaanse Republiek. Naast granen gedijen op de vruchtbare bodem ook koffie, cacao en tabak. De export ervan stond aan de basis van de welvaart van de regio en bracht een zelf-bewuste middenklasse voort die zich tegen de dictator Trujillo ver-zette.

Het Cibaodal is een uitgestrekte vlakte. Over 225 km strekt het zich in west-oos-telijke richting uit. De rondrit voert langs een deel van de noordelijke bergketen en hoewel alle plaatsen ook per guagua en motoconcho te bereiken zijn, is eigen vervoer het gemakkelijkst.

De Tourist Highway

De rondrit begint halverwege de weg Puerto Plata-Sosúa, waar de Carretera 25 naar Santiago de los Caballeros afbuigt. In het nabijgelegen stadje Monte Lla-nos – dit alleen als kanttekening – stierf de Oostenrijkse muzikant Falco, bekend van *Rock me Amadeus* en *Jeanny*, in 1998 bij een auto-ongeluk. Hij botste met een touringcar.

De weg slingert zich vervolgens onder mangobomen en flamboyanten naar de noordelijke cordillera. Al spoedig ope-nen zich de eerste uitzichten op de vel-den en dalen en de oceaan. Bij Km 19 bevindt zich, verstopt tussen de heuvels, een van de beste ecotoerisme-initiatie-ven van het land: het door de Canadees Tim Hall opgerichte **Tubagua Plantati-on Eco Village** 1. Ook wanneer u hier niet overnacht, is een bezoek aan het sympathiek beheerde complex de moei-te waard. De onderkomens zijn met na-tuurlijke materialen gebouwd en geïn-spireerd op de huizen van de Taínos. Het ecodorp omvat in totaal 5 ha, en het uit-zicht is grandioos.

Nu gaat de weg steil omhoog, het hoogste punt ligt op 800 m. Hierna daalt u in haarspeldbochten af naar het Cibaodal, waarvan de hoofdplaats **Santiago de los Caballeros** (zie blz. 70) nu voor u ligt. De op een na grootste stad van het land dankt zijn welvaart vooral aan de sigaren. Volgens kenners, en dan met name die uit de Dominicaanse Republiek zelf, zouden deze beter zijn dan de Cubaanse. Waarom zou Zino Davidoff hier anders zijn sigaren laten draaien? Een goede indruk van het productieproces krijgt u op het terrein van het Centro León (zie blz. 70), waar de eerste sigarenfabriek van de stad werd nagebouwd. De sterke tabak uit het Cibaodal wordt hier met mildere dekbladen uit het buitenland gecombineerd.

Een goede plek om te ontbijten of te lunchen is restaurant **Camp David** ① op een berg met uitzicht over het dal en de stad.

Op de heilige berg

Over de Autopista Duarte gaat het nu verder naar het zuiden in de richting van La Vega. Sla na ongeveer 25 km linksaf in de richting van **Santo Cerro**. Na 10 km leidt de weg rechts naar de 'heilige berg', een nationaal bedevaartsoord. Daar staat de **Iglesia de las Mercedes** ① (1886), waar tot voor kort een legendarisch houten kruis als relikwie werd vereerd. Columbus zou het kruis hier in de laatste slag tegen de Taínos in 1495 hebben opgericht. Toen de indianen het wilden verbranden, zo luidt de legende, zou de Virgen de las Mercedes zijn verschenen. Overweldigd (en bekeerd) gaven ze zich van de weeromstuit massaal over. Het kruis bevindt zich tegenwoordig in Santo Domingo, alleen het gat waar het moet hebben gestaan is nog in een kapel te zien. Voor de kerk groeit een knoestige mispelboom, naar verluidt een stek van de boom waarvan het kruis werd gemaakt. Ieder jaar op 24 september vindt een processie plaats ter ere van de Virgen de las Mercedes. Op de avond van de 23e verzamelen zich hier duizenden pelgrims. Vanaf de Santo Cerro hebt u een prachtig panorama op het agrarische landschap met akkers, rivieren en dorpen.

La Vega Vieja

Rijd nu verder in oostelijke richting en sla na 2 km naar het noorden af. Ongeveer 2 km verderop bereikt u **Pueblo Viejo**, met het fraaie **Parque Histórico La Vega Vieja** ②. Hier liggen de resten van La Vega, de op één na oudste Europese stad van Amerika. De plaats werd in 1562 door een aardbeving verwoest en later westelijk van hier opnieuw opgebouwd. Overgebleven zijn alleen de ruïnes van het fort en de kathedraal, die echter zo vervallen zijn dat er enige fantasie voor nodig is om u de voormalige betekenis van de stad voor te stellen. In het kleine museum zijn vooral de toenmalige gebruiksvoorwerpen van de conquistadores interessant. Ongeveer 1 km in de richting van Santo Cerro liggen de resten van een **franciscaner klooster** met open graven, inclusief een paar lugubere skeletten.

De geur van koffie

Spoedig daarop bereikt u **Moca**. De plaats (60.000 inwoners) is een centrum van de koffie-industrie, wat goed te ruiken is wanneer u de branderij aan de rand van de stad passeert. Bovendien zijn de bewoners er trots op bij acht moorden op presidenten en tirannen betrokken te zijn geweest, inclusief de liquidatie van Trujillo – alle daders van deze aanslag waren afkomstig uit de plaats Moca.

Tussenstop in Salcedo

In Salcedo (40.000 inwoners) woonden de gezusters Mirabal, die in 1960 door de geheime dienst van Trujillo werden omgebracht. Ten eerste omdat Patria, Minerva en María Teresa actief waren in het

Uitzicht vanaf de Santo Cerro over het landbouwgebied van het Cibaodal

verzet. Ten tweede omdat ze de avances van de dictator langs zich heen lieten gaan. Enkele jaren geleden vestigde de overlevende vierde zuster Dedé in het afgelegen huis van de familie een museum. In het **Museo de las Hermanas Mirabal** 3 kunt u de historische inrichting, kleding en ontroerende herinnneringen zien. In het jaar 2000 werden de

> **Overigens:** in Salcedo bevindt zich het ecotoerisme-initiatief **La Ruta del Café** 1 . Hier kunt u zich aanmelden voor een rondleiding langs de koffieplantages van de regio. Het project wordt door de EU gesponsord en door diverse koffie-coöperaties georganiseerd. Deskundige gidsen vertellen tijdens de excursie over de verschillende productieprocessen van de koffie.

botten van de drie vrouwen in de tuin begraven en werd de plaats tot een bijzondere locatie van het Nationale Pantheon in Santo Domingo uitgeroepen.

La Cumbre

Weer terug in Moca rijdt u in noordelijke richting verder. Na 14 km bereikt u het op 850 m hoogte gelegen uitkijkpunt **La Cumbre**. Twee **restaurants** 2 concurreren er met elkaar. Beide hebben een panoramisch terras met een schitterend uitzicht op het Cibaodal.

De verdere rit in de richting van **Cabarete** (blz. 100) voert door een reeks kleine plaatsen, waar de inwoners van de koffie- en cacaoteelt leven. Na de oogst ziet u langs de weg waarschijnlijk drogende koffiebonen. De *caoba* genoemde cacaobomen herkent u aan hun grote, broodvormige vruchten en de rode bloemen.

Informatie

Santo Cerro Iglesia de las Mercedes 1 : dag. 7-12 uur, 14-18 uur.
Parque Histórico La Vega Vieja 2 : In Pueblo Viejo, de ruïnes zijn eenvoudig

toegankelijk. Overdag zijn er bewakers bij het museum.
Museo de las Hermanas Mirabal 3 : Km 1 in de richting van Tenares, gemarkeerd, tel. 809 587 70 75, mei-

augustus dag. 9-19 uur, sept.-april dag. 9-17 uur, volwassenen RD$ 20, kinderen RD$ 10. Rondleidingen ook in het Engels.

La Ruta del Café ▮ : UCODEP, Calle Prof. Regalado 5, tel. 809 577 14 75 of 829 850 60 63, www.larutadel cafedominicano.org.

Overnachten

Tubagua Plantation Eco Village ▮ : Tubagua, Km 18 Carretera Turística in de richting van Santiago, tel. 809 696 69 32, www.tubagua.com, vanaf US$ 25 p.p. 5 ha groot, ecologisch ingericht complex in de bergen. Zwembad, terras. Geschikt voor groepen.

Jasmine Spa & Wellness Center ▮ : Tubagua, Km 22 Carretera Turística in de richting van Santiago, tel. 829 252 52 72, www.jasmine-spa-wellness.com, vanaf US$ 149 (laagseizoen). Exclusief, contemplatief kuurhotel in de bergen met een tropische tuin.

Blue Moon ▮ : tussen Los Brazos en Jamao al Norte, tel. 809 757 06 14, www.bluemoonretreat.net, 2 pk vanaf US$ 50. In de heuvels verhuurt de Fransman Gideon vier ruime appartementen. Zwembad en een restaurant.

Eten en drinken

Camp David ▮ : Santiago, Carretera Luperón Km 7,5, tel. 809 276 64 00, www.campdavidranch.cc, dag. 7-1 uur, hoofdgerechten vanaf 385 RD$. Vanaf het terras van het restaurant kijkt u prachtig uit over Santiago. Specialiteit van het huis is *asado de cordero* (gegrild lamsvlees). Ronduit smakeloos is de 'filet generalísimo' ter ere van de beruchte dictator Trujillo.

Rancho La Cumbre en **Caffeto** ▮ : in La Cumbre, meestal 10-23 uur. Caffeto heeft een beter uitzicht, betere koffie en betere bediening, maar is ook duurder (vis- en vleesgerechten vanaf RD$ 250).

Uitgaan

Heerlijk flaneren – **Calle Pedro Clisante:** voor een fascinerende studie van het menselijke baltsgedrag.

Sport en activiteiten

Duiken – **Northern Coast Diving:** Calle Pedro Clisante 8, tel. 809 571 10 28, www.northerncoastdiving.com. Excursies naar de duiklocaties van de regio. Een duik kost US$ 45.

Agenda

Jazzfestival: begin oktober. Een gerenommeerd internationaal festival.

Vervoer

Streekbussen: Caribe Tours (Los Cheramicos, tel. 809 571 38 08) en Metro (Av. Luperón) onderhouden verbindingen met Santiago en Santo Domingo. El Canario rijdt vrijwel dagelijks naar Samaná. **Guaguas:** langs de Carretera Puerto Plata staan minibussen en groepstaxi's *(motocarros).*

Cabarete ▶ F 1

Sportiever dan Sosúa is het straatdorp Cabarete. De plaats wordt tot de tien beste wind- en kitesurflocaties ter wereld gerekend. Het brede strand en het ontspannen uitgaansleven trekken echter ook veel andere bezoekers.

Zo'n kilometer landinwaarts liggen de **Cuevas de Cabarete** (vanuit Sosúa komend neemt u 1 km voor Cabarete een pad naar rechts). De grotten werden in 1997 tot het nationaal park El Choco uitgeroepen. U vindt er onderaardse meren, waarin u kunt zwemmen (dag. 8-16 uur. Twee uur durende rondleiding RD$ 195).

Overnachten

Vriendelijk en vrolijk – **Alegría:** Calle La Punta, tel. 809 571 04 55, www.hotel-alegria.com, 2 pk US$ 30-70. Centraal gelegen, voordelig hotel met uitzicht op zee. Dertien kamers en appartementen, waarvan sommige met keuken en balkon. Jacuzzi.

Het verlaten strandje La Preciosa in de buurt van Río San Juan

Paradijselijke tuin – **Natura Cabaña:** Paseo del Sol 5 (Perla Marina), tel. 809 571 15 07, www.naturacabana.com, vanaf US$ 90 p.p. in 2 pk. Complex met elf tropisch ingerichte bungalows aan het strand. Verder zijn er een restaurant en een kuurcentrum.

Rechts van het midden – **Velero Beach Resort:** Calle La Punta 1, tel. 809 571 97 27, www.velerobeach.com, 2 pk vanaf US$ 150 inclusief ontbijt. Klein luxueus complex met 58 kamers aan de oostkant van het strand.

Eten en drinken

Kopje koffie – **Panadería Dick:** do.-di. 7-17, zo. alleen tot 13 uur. Het populairste café van de plaats. Ontbijt (ongeveer 150 RD$) en gebak.

Pizzaservice aan het strand – **Pizzería Pomodoro:** dag. 12-23 uur. Heerlijke pizza's (ongeveer RD$ 350) onder de palmen. Snelle bediening.

Frans-Indiaas – **Otra Cosa:** La Punta, tel. 809 571 06 07, wo.-ma. 18.30-23 uur. Een geheime tip aan de oostkant van het strand. Specialiteit: *tandoori masala de langostes et camarones* (RD$ 850). Wijnkaart.

Uitgaan

Aan het strand vindt u diverse mogelijkheden: aan het begin van de avond is de **Lax** (dag. 9-1 uur) populair. Om te dansen gaat u naar **Onno's** of **Bambú** (latin en hip-hop).

Sport en activiteiten

Surfen – Grote surfbedrijven hebben hier vestigingen (materiaalverhuur en lessen), bijvoorbeeld **Mistral**, www.club-mistral.com, en **Fanatic**, www.fanatic-cabarete.com. Let op: windsurfers gaan naar de **Playa Cabarete**, kitesurfers ontmoeten elkaar bij **Kite Beach** (1 km in de richting van Sosúa), Golfsurfers vertonen hun kunsten aan de **Playa Encuentro** (4 km in de richting van Sosúa).

Al het andere – voor alle andere activiteiten gaat u naar de betrouwbare touroperator **Iguana Mama**, hoofdstraat, tel. 809 571 09 08, www.iguanamama.com, waar men op een sociaal duurzame manier te werk gaat: mountainbiketochten vanaf US$ 55; paardrijden vanaf US$ 40; kajaktochten op de Río Yásica US$ 55; duiken (15 verschillende duiklocaties) vanaf US$ 50; wandelen in het nationaal park El Choco vanaf US$ 35; watervalklimmen, van eenvoudige routes bij de 27 watervallen van Damajagua (US$ 79) tot de 'ultieme canyoningbelevenis' (US$ 179).

Informatie en verkeer

Informatie op internet: www.activecabarete.com, www.cabareteguide.com.
Guaguas: in de hoofdstraat.
Motoconcho: beste mogelijkheid in de plaats zelf.

Agenda

Zandkasteelwedstrijd: februari. Wie bouwt hier het mooiste kasteel op het strand?
Wereldkampioenschap kiteboarden: juni. Wie is het snelst?
Jazzfestival: begin oktober. Drie dagen lang concerten op het strand.
Latin Pro: oktober/november. Een van de belangrijkste surfontmoetingen van Latijns-Amerika.

Río San Juan ▶ G 2

Río San Juan (15.000 inwoners) is een aangename alledaagse plaats en heeft met zijn Laguna Gri-Gri ook een toeristische attractie.

In de omgeving liggen kleinere stranden, bijvoorbeeld de **Playa Caletón**, 1 km naar het oosten. Een van de mooiste stranden van het land ligt 15 km naar het oosten: de **Playa Grande** met 4 km zand. Een baai verderop vindt u de **Playa Preciosa**.

Laguna Gri-Gri

Kleine haven aan het eind van de Calle Duarte, u boekt bij de kiosk aan de lagune, tel. 809 589 22 77, dag. 8-17 uur. RD$ 700, 2 p. RD$ 1000

Vanuit de lagune vertrekken boottochten naar de mangrovemoerassen en een grot waar duizenden zwaluwen jagen. In het oerwoud ziet u reigers en gieren.

Overnachten

Lyrisch – **Bahía Blanca:** Calle Gastón F. Deligne, tel. 809 589 25 63, bahia. blanca.dr@verizon.net, 2 pk RD$ 525-1225. Al heeft het huis betere tijden gekend, toch blijft dit de eerste keus in de omgeving. Schilderachtig gelegen op een rotsige kaap. Met terras.

Prozaïsch – **La Catalina:** in de richting van Nagua rechts gemarkeerd, tel. 809 589 77 00, www.lacatalina.com, 2 pk US$ 98 inclusief ontbijt. Fraai complex in de heuvels met twaalf kamers, vijftien appartementen, uitzicht op zee, zwembad, jacuzzi en een tennisbaan.

Eten en drinken

2 in 1 – **Estrella:** Calle Duarte 7, tel. 809 589 23 03 dag. 8-24 uur. Caribisch ontbijtcafé met restaurant. Visgerechten vanaf RD$ 350.

Aan de lagune – **La Orquídea:** Calle 16 de Agosto 9, dag. 9-22 uur. Gelegen aan de lagune. Creools-Franse keuken en wijnen. Smakedlijke gerechten vanaf RD$ 350.

Informatie en verkeer

Oficina de Turismo: Calle Duarte 1, tel. 809 589 28 31, ma.-vr. 8-16 uur. Behulpzaam personeel, maar helaas weinig materiaal..

Streekbussen: Caribe Tours, kustweg, tel. 809 589 26 44. Via Nagua naar Santo Domingo.

Guaguas: vanaf de kustweg, zowel in oostelijke als westelijke richting.

In de omgeving

Bij de **Cabo Francés Viejo** (▶ G 1), ongeveer 15 km in de richting van Nagua, in het dorp Abreú goed gemarkeerd, vindt u in het gelijknamige nationale park een uitkijkpunt. Vanaf het bezoekerscentrum loopt u in tien minuten naar de kaap, waar een vuurtorenruïne uit het Trujillotijdperk staat. Eronder ligt de wilde **Playa Bretón**.

Las Terrenas ▶ H 3

Las Terrenas (14.000 inwoners) was een afgelegen vissersdorp. Toen kwamen de Europese immigranten en types die snel hun huis moesten verlaten. Vervolgens kwamen de toeristen. Tegenwoordig wordt Las Terrenas door Fransen gedomineerd. 'All-inclusive' vindt u hier niet, en zo blijft er een balans tussen dynamisch en flegmatiek, tussen allochtonen en autochtonen. Met het isolement is het echter afgelopen sinds de snelweg tussen Samaná en Santo Domingo werd voltooid.

Niet ver van Las Terrenas, ongeveer halverwege Santa Bárbara de Samaná, ligt de prachtige waterval Cascada de Limón (⓭ zie blz. 104).

Overnachten

Budget – **El Rincón de Abi:** Calle Emilio Prud'Homme, tel. 809 240 66 39, www. el-rincon-de-abi.com, 2 pk vanaf RD$ 1350 inclusief ontbijt. Twaalf kamers en een appartement achter het strand. Gemeenschappelijke keuken, zwembad en kuurfaciliteiten.

Heerlijk tropisch – **Iguana:** Playa Las Terrenas, tel. 809 240 55 25, www. iguana-hotel.com, Bungalow voor 2 p. vanaf US$ 50 inclusief ontbijt met zelfgemaakte marmelade. Acht bungalows in een tropische tuin, ongeveer 200 m van het strand. Er is een gemeenschappelijke keuken. Vriendelijke Franse gastvrouw.

Tonijnvangst in Las Terrenas

Kleurrijk – Coyamar: Playa Bonita, tel. 809 240 51 30, www.coyamar.com, 2 pk US$ 60 inclusief ontbijt. Door de Duitser Peter Müller kleurig ingericht hotel met tien kamers, een terras, uitzicht op zee en toegang tot het strand.

Eten en drinken

Café & Croissants – **Boulangerie Française:** Plaza Taína, dag. 7-19.30 uur. Franse bakkerij met goede koffie en gebak in een victoriaanse passsage.

Zoet pasta – **La Dolce Vita:** aan de oostkant van het strand, tel. 829 907 95 92, dag. 11-14, 17-23 uur. Duurzaam gedreven Italiaans restaurant met fantastische pasta vanaf 300 RD$, wijnkaart.

Altijd wat te doen – **El Fantastiko:** aan de oostkant van het strand. tel. 829 914 36 40, dag. 7-24 uur. Gezellig restaurant met een terras en Creoolse specialiteiten.

Winkelen

Foto's van daar – **Haitian Caraibes Art Gallery:** Calle Principal 233, ma.-za. 9-13, 16-20 uur. Foto's van Haïtiaanse kunstenaars.

Sieraden van hier – **Nativ' Arte:** Calle Principal, ma.-za. 9.30-13, 16-19.30 uur. Sieraden van lokale materialen.

Uitgaan

Jazzy – **Syroz Bar:** Calle de los Libertadores, dag. 15-2 uur. Aangename sfeer, veel jazz.

Thema-avonden – **Como tu va:** Pueblo de los Pescadores, dag. vanaf 20 uur. Goed gesorteerde bar en discotheek met thema-avonden (elke di. salsa). Gelegen aan zee

Livemuziek – **Nuevo Mundo:** Calle Principal, dag. vanaf 21 uur. Discotheek met liveconcerten.

Sport en activiteiten

Mountainbiken – **Pura Vida:** tel. 809 964 70 51, www.puravidaplanet.com/repdom. Verhuur (US$ 10 per dag) en tochten (US$ 45).

Surfen – **Pura Vida:** (zie blz.101). Ruim aanbod, ook voor kinderen. Golfsurfen

13 Een herinnering aan Adam en Eva – de Cascada de Limón

Kaart: ▶ J 3
Plaats: Ca. 15 km ten zuidwesten van Las Terrenas en 23 km ten noordoosten van Santa Bárbara de Samaná

Het water stroomt hier in honderden vertakkingen naar beneden, stort zich langs een met mos begroeide rotswand en vormt aan de voet ervan een koel bassin. De prachtige Cascada de Limón is een van de schilderachtigste plekken in de Dominicaanse Republiek. De weg erheen leidt over een dichtbegroeide heuvel en door een fraai gevarieerd cultuurlandschap.

De Cascada de Limón ligt halverwege Las Terrenas en Santa Bárbara de Samaná verstopt in de bergen van het schiereiland. De 52 m hoge cascade is te voet of op de rug van een muildier te bereiken. De wandeling duurt ongeveer een halfuur per pad.

De wandelingen

Er leiden twee routes naar de cascade. De eerste is inspannend en biedt meer

mooie uitzichten. Hij begint 1 km voorbij het dorp El Limón in de richting van Santa Bárbara de Samaná. Het bord 'La Cascada El Limón Parada' aan de linkerkant van de weg is niet te missen. Hier bevindt zich ook de **Parada María y Miguel** ■, waar u kleine paarden kunt huren. U kunt natuurlijk ook gaan lopen, maar het pad kan na een stevige regenbui flink glad zijn geworden. Even verderop ligt het ingangskantoor. Vervolgens passeert u de rivier El Limón, die verder naar boven de cascade vormt.

Van hier gaat u over gedeeltelijk steile paden, door een bebost heuvellandschap, langs weiden met vee en palmenhagen. Het hoogtepunt van de wandeling is de eerste glimp op de verder gelegen cascade. Beneden in het dal ziet u hoe het wit schuimende water van de cascade zich omzoomd door weelderig groene heuvels naar beneden stort.

Een prachtig tafereel van zilveren klatergoud. Het laatste deel van de route gaat u te voet.

Het tweede pad is gemakkelijker om te lopen, maar doet zeker niet onder voor de andere route. Het traject begint 7 km voorbij El Limón in de richting van Santa Bárbara de Samaná bij de **Parada La Familia** . Dit pad is duidelijk vlakker en u hebt er geen paard voor nodig, tenzij u op hoge hakken bent gekomen. De wandeling leidt langs weiden en plantages.

Sommige gidsen stoppen onderweg even om u cacao- en koffiebonen te laten zien. Andere tonen u ananassen, limoenen en mango's, slaan een kokosnoot open of snijden een guanábana of tamarinde in tweeën. De kern kunt u opzuigen. Langs het pad groeien koriander, gember en basilicum, naast een onopvallende plant waarvan de bladeren bij aanraking snel dichtklappen. De plaatselijke bevolking noemt deze plant *vivirymorir* ('leven en sterven'). Het laatste deel van de route loopt u langs de Río El Limón, passeert u een kleine waterval, ziet u de *cascada* en klimt u langs een pad naar boven.

Overigens: ongeveer 500 m voor de Parada la Familia buigt in 90° een onverharde weg af naar **Batey La Hormiga** . Hier vindt u een rubberplantage met een bijbehorende fabriek. Het is mogelijk om toe te kijken bij het productieproces.

Bij de cascade

Inmiddels staat u voor de 52 m hoge **Cascada de Limón** . Het schitterende natuurmonument wordt een cascade genoemd omdat de waterstroom in vele vertakkingen over de rotswand stroomt en niet in een grote golf naar beneden dondert, zoals bij een waterval. Dit heeft ertoe geleid dat de wand met mos en varens is begroeid. Toch ontwikkelt ook de cascade een flinke kracht, die u zeker merkt naarmate u dichterbij komt. Een koele wind waait u tegemoet. In het groen-blauwe waterbekken kunt u zonder problemen zwemmen. Na ongeveer een halfuur geeft de gids het sein voor vertrek. Wanneer u langer wilt blijven, moet u dat zeker doen. Er zijn geen vaste bezoektijden.

Informatie

Paardenverhuur en wandelen: voor het huren van een paard inclusief gids wordt US$ 35 gevraagd. Een gids zonder paard is veel goedkoper (en de gids heeft er dan ook veel meer belang bij dat u gaat paardrijden). Onderhandel over de prijs. Toegang RD$ 50.

Versterking en souvenirs

Parada María y Miguel: vriendelijke, typisch Dominicaanse *comedor*.
Parada La Familia: hier kunt u terecht voor verse cacao en souvenirs. Beide zijn dagelijks geopend.

(board US$ 25 per dag), kitesurfen (cursus US$ 295).

Duiken – **Stellina Diving:** in Hotel Las Cayenas, tel. 829 887 55 03, www.stellinadiving.com. Prijs wordt verstrekt op aanvraag.

Santa Bárbara de Samaná ▶ J 3

Samaná (50.000 inwoners) ligt aan een van de mooiste baaien van het land, maar is zelf niet echt een juweel te noemen. De historische houten huizen werden in 1946 door brand verwoest. Wat bleef staan, werd in de jaren '70 afgebroken.

Alleen de **Iglesia de San Pedro**, Calle Theodoro Chasereaux, bleef gespaard. De houten kerk werd in 1824 uit Engeland geïmporteerd. Hij diende gevluchte slaven uit de Verenigde Staten en ontsnapte aan de sloop dankzij de inzet van hun nakomelingen. Door de plaatselijke bevolking wordt hij *la churcha* genoemd.

Voor passagiers van cruiseschepen werd het pseudo-victoriaanse winkelgebied **Pueblo Príncipe** aangelegd. Vol wordt het in Samaná tussen januari en maart, wanneer er tienduizenden toeristen komen om de bultrugwalvissen in de baai te bekijken.

Een voetgangersbrug, lokaal bekend als de 'brug naar het niets', leidt naar de twee eilandjes **Cayo Linares** en **Cayo Vigia**.

Cayo Levantado

Het kleine eiland 7 km voor Samaná wordt als 'Bacardi-eiland' gepromoot. In de bekende reclame zagen we echter noch het luxehotel Gran Bahía Príncipe noch de groepen toeristen. Toch is het water turqoise en het zand wit. De booteigenaren op de pier brengen u er voor RD$ 500-1500 naartoe (afhankelijk van de grootte van de groep). Moto Marina vaart echter al vanaf RD$ 500 (Av. Malecón 3, tel. 809 538 23 02, motomarina@yahoo.com), net als de vissers in **Los Yagrumos** (10 km in de richting van Las Galeras, vanaf RD$ 700).

Parque Nacional Los Haitises

🔵 **14** blz. 107

Overnachten

Baaipanorama – **Hotel Docia:** Calle Teodoro Chasereaux, tel. 809 538 20 41, tegenover *la churcha*, 2 pk RD$ 1000. Het beste eenvoudige hotel.

Victoria's secret – **Occidental Gran Bahía:** 12 km in de richting van Las Galeras, tel. 809 538 31 11, www.occidental-hoteles.com, vanaf US$ 110 p.p. voor een 2 pk. All-inclusivecomplex in victoriaanse stijl met 100 kamers en uitzicht op zee.

Eten en drinken

Vroeg en laat – **Pueblo Príncipe:** Pueblo Príncipe, Malecón. 9-24 uur. Café-restaurant met terras. Goed voor het eerste kopje koffie en het laatste glaasje bier.

Frans – **Mata Rosada:** Malecón 5, tel. 809 538 23 88, wo.-ma. 10-15, 18.30-24 uur, hoofdgerechten vanaf RD$ 350. Een van de beste lokale restaurants. Visgerechten à la française, wijnkelder, redelijke prijzen.

Chinees – **Restaurante Chino:** Calle San Juan 1, tel. 809 538 22 15, dag. 11-23 uur, hoofdgerechten vanaf RD$ 200. Fraai uitzicht en een ruime keus, zoals vis in kokossaus (RD$ 245). Aangesloten hotel (2 pk vanaf RD$ 1500).

Uitgaan

Aan de boulevard – **Avenida Malecón:** Diverse cafés en een beruchte carwash.
Boemboem – **El Cielito:** Calle Rosa Duarte 3. Discotheek met merengue, bachata en reggaeton.

14 Mangroven, eilanden en grotten – Los Haitises

Kaart: ▶ H/J 3/4
Vervoer: Boottocht vanuit Santa Bárbara de Samaná, Sabana de la Mar of Las Galeras

Het is een surrealistisch gezicht. Plotseling staan er honderden begroeide rotsen voor u in de zee. Ze fungeren als wachters bij de ingang van het nationaal park Los Haitises: uitgestrekte mangrovebossen met daartussen tientallen, gedeeltelijk kathedraalgrote grotten. Hierin woonden tot 500 jaar geleden de Taíno-indianen, die fascinerende rotstekeningen achterlieten.

Het schitterende **nationaal park Los Haitises** 1 heeft een totale oppervlakte van 600 km². Het ligt aan de zuidwestkant van de baai van Samaná en is alleen met de boot te bereiken.

Dat gaat het beste vanuit **Sabana de la Mar** 2 en **Santa Bárbara de Samaná** 3. De tocht vanuit Samaná leidt over de tussen de 10 en 20 km brede Golf en duurt ongeveer een halfuur.

Voor de bezichtiging van de imposante mangroven en grotten hebt u ongeveer twee uur nodig.

De overtocht

Vanaf de steiger in Santa Bárbara de Samaná vertrekken kleine motorboten, *lanchas* genoemd. Eerst passeert u de brug naar de kleine eilanden Cayo Linares en Cayo Vigia, dan gaat u de baai in. De zee kan onstuimig zijn, wat betekent dat u het tijdens de overtocht misschien al zwaar te verduren krijgt. De baai is op het diepste punt ongeveer 800 m diep en het water bevat minder zout dan de open oceaan. Wetenschappers menen dat dit een van de redenen is waarom de bultrugwalvissen hier ieder jaar komen paren: op deze plek zijn parasieten gemakkelijker af te schudden. Ergens op de bodem van de baai ligt ook het schip van de piraat Roberto Cofresí, die het op zijn vlucht voor de Spanjaarden zelf liet zinken. Hij ontkwam met zijn bemanning in de nabijgelegen mangrovemoerassen. Noch het schip, noch de schat die Cofresí bij zich had werden tot op heden teruggevonden.

Na bijna een halfuur varen ziet u een flink aantal bizarre rotsformaties. Ze zullen u misschien aan de science-fiction-Film *Avatar* herinneren. Daar, op de fantasieplaneet Pandora, bestaan vliegende bergen. Hier, in de baai van Samaná, verheffen zich honderden schitterend gevormde kalksteenkegels *(mogotes)* uit de zee. Ze zijn met groene waterplanten overwoekerd en 30 tot 50 m hoog. De rotsen ontstonden bij tektonische verschuivingen zo'n een tot twee miljoen jaar geleden. Van deze rotsen en de tot 350 m hoge landinwaartse heuvels stamt de naam Los Haitises. In de taal van de Taínos betekende *ayiti* 'berg of verhoging'. De eilanden vormen de toegangspoort tot het nationaal park.

Door de mangroven

Door kleine kanalen vaart u nu door het moeras. Deze kanalen worden geflankeerd door de knoestige wortels van de mangroven, die zich uit het water verheffen. Ze vormen een natuurlijk, voor mensen nauwelijks doordringbaar beschermingschild voor planten en dieren. In de tropisch vochtige bossen van het nationale park leven maar liefst 110 **vogelsoorten**, waaronder kalkoengieren, pelikanen, fregatvogels, ibissen, sterns, reigers en papegaaien. Omdat het hier heet en vochtig is, gedijen er meer dan 700 **tropische planten**, waaronder waterlelies, orchideeën, bromelia's, varens, agaves, zilverpalmen en lianen. De rode en witte mangroven zelf zijn van zeer hard hout en werden vroeger voor de huizenbouw gebruikt. Al met al is Los Haitises een van de soortenrijkste regio's van het hele Caribisch gebied.

Naar de grotten

De grootste en bekendste grot van het gebied is de **Cueva de la Línea**, die ook wel 'spoorgrot' wordt genoemd, omdat in de buurt een spoorlijn lag die een nabijgelegen rijstveld met Santo Domingo verbond. De grot ligt tussen een paar kleine moerassen aan het einde van een smalle waterstroom met houten looppaden. Hij strekt zich over 600 m uit, is even groot als twee kerken en aan meerdere kanten open. Wetenschappers hebben ontdekt dat het grottensysteem van Los Haitises 4000 jaar geleden al werd gebruikt door de Siboney-indianen, een volk van jagers en verzamelaars dat Hispaniola nog voor de Taínos bevolkte. Voor de Taínos vormden de grotten vooral een toevluchtsoord tijdens het orkaanseizoen en de regentijd, later ook voor de Spanjaarden. Zwarte roetvlekken markeren de plaatsen waar ze verbleven, een fascinerende herinnering aan hun kampvuren.

De indrukwekkende grot diende vooral als plaats van aanbidding en wordt daarom ook wel 'tempelgrot' genoemd. De Taíno-indianen hebben hier talrijke magisch-realistische tekeningen achtergelaten. Archeologen konden meer dan 950 verschillende **schilderingen** onderscheiden. De verf ervoor maakten de vroegere indianen van hars, mangroveschors, vleermuisuitwerpselen en het vet van zeekoeien, die nog steeds verspreid in het park voorkomen. In de kleine tekeningen komt de diversiteit van de dierenwereld in de regio goed naar voren: walvissen en haaien, vissende vogels, een reiger met een spartelende kreeft in zijn snavel, insecten. Bovendien ziet u hier afbeeldingen van kinderen, sjamanen en afdrukken van handen. Het spectaculairst is de voorstelling van een vrouwelijke godheid (in de Taínotaal *cemí*), die door zeven vogels wordt omgeven. Boven het hoofd van de figuur vormen dertien stralen een soort diadeem, wat op de maancultus wijst. Op andere plekken zijn punten te zien, waarvandaan dertien stralen in alle richtingen schijnen.

De **Cueva de la Arena** heeft vijf in- en uitgangen. De hoofdingang grenst aan een klein strand. Overigens is de grot niet voor elke touroperator toegankelijk, vraag hier van tevoren naar. De Cueva de la Arena is groter dan de Cueva de la Línea, kent nauwelijks tekeningen, maar wel enkele petrogliefen. Bij de ingang zijn twee menselijke gezichten in de steen gehouwen. Deze representeren wakende goden. Binnen in de grot ziet u voorstellingen van dieren en mensen, naast vijf tekeningen van zeilschepen.

Ze stammen uit de 16e eeuw en zijn de eerste Taíno-afbeeldingen van Europese schepen.

Een vaak bezochte grot is de **Boca de Tiburón** (haaienbek). Het is niet moeilijk te bedenken waar deze naam vandaan komt: de grot opent zich als een opengesperde muil van een mensenhaai op een van de rotseilanden bij de uitgang naar de baai. U vaart met de boot de grot binnen. Na de Taínos vonden vooral piraten een toevluchtsoord in Los Haitises, onder wie Jack Banister, Willy Simmons, John Rackham en de al eerder genoemde Roberto Cofresí. Van de laatste wordt gezegd dat hij hier zijn schat zou hebben begraven.

● ●

Informatie

Het nationale park kan niet op eigen gelegenheid worden bezocht. Ga alleen met officiële touroperators, niet met schippers uit de haven. Informeer ook bij Whale Samaná van onderzoeker Kim Bedall (zie blz. 110)

Touroperators

Moto Marina  : Av. Malecón 3, Santa Bárbara de Samaná, tel. 809 538 23 02, motomarina@yahoo.com, US$ 50. Een van de betrouwbaarste adressen.
Sunshine-Tours : Las Galeras, tel. 829 768 40 65, www.sunshine-holiday.

net. De Duitser Marcel biedt individuele excursies.
Paraíso Caño Hondo : Sabana de la Mar, tel. 809 248 59 95, www.paraisocanohondo.com. Dit hotel heeft de interessantste tochten (ook per kajak). Het kleine **Sabana de la Mar** ligt aan de rand van het nationale park aan de zuidoever van de baai. U komt er met de veerboot vanuit Samaná (zie blz. 110) of met de auto vanuit Hato Mayor of Miches.
Sommige touroperators bieden onderweg ananas, papaja en kokos aan. Ook zijn er vaak rum en cola.

Sport en activiteiten

Walvissen kijken – **Whale Samaná:** Calle Mella/Malecón, tel. 809 538 24 94, www.whalesamana.com, dag. 9 en 13 uur. Van half januari tot half maart komen er duizenden bultrugwalvissen uit de Noord-Atlantische Oceaan in de baai van Samaná paren. Onderzoeker Kim Beddall leidt hier de beste tochten (US$ 50).

Informatie en agenda

Oficina de Turismo: Pueblo Príncipe, Malecón, ma.-vr. 8.30-15 uur. Zeer behulpzaam, maar jammer genoeg weinig effectief. Raadpleeg op internet www.samana.net en www.samana.org.do.

Feest van de patroonheilige: 24 oktober. Ter ere van de heilige Rafael worden dansen opgevoerd, die even vrolijk zijn als ze klinken: bambulá, chivo florete, oli-oli.

Vervoer

Streekbussen: Caribe Tours en Metro naar Santo Domingo. El Canario naar Puerto Plata. Alle bussen vertrekken vanaf de Malecón.

Guaguas: in alle plaatsen van het schiereiland.

Veerboten: Transporte Marítimo, aan de pier. Viermaal per dag naar Sabana de la Mar (ca. 1 uur, RD$ 150, maar geen auto's).

Las Galeras ▶ J 3

De mooiste plaats van het schiereiland bevindt zich op de oostelijke punt en biedt naast prachtige stranden en goede hotels ook veel mogelijkheden om het mysterieuze landschap te verkennen (⑮ blz. 111).

Overnachten

Op de ranch – **La Loma-Cita:** aan de oostkant, voorbij het Grand Paradise Beach Resort, gemarkeerd, tel. 829 905

32 72, vanaf € 50 inclusief ontbijt (vers brood). Accommodatie in drie te midden van de heuvels gelegen appartementencomplexen. Onder Franse leiding.

Honeymoon – **Villa Serena:** tegenover het kleine eiland, tel. 809 538 00 00, www.villaserena.com, vanaf US$ 60 p.p. inclusief ontbijt. Intiem hotel in victoriaanse stijl met 21 grote kamers, uitzicht op zee en een fraaie tuin.

Discreet – **Casa Lotus:** naast Villa Serena, tel. 809 538 01 19, www.casalotus.ch.vu, 2 pk vanaf US$ 75 inclusief ontbijt. Discrete villa met schommelstoelveranda. Onder leiding van de Zwitserse dame Teresa.

Een goede ankerplaats – **Todo Blanco:** aan het strand, tel. 809 538 02 01, www.hoteltodoblanco.com, 2 pk € 65 p.p. inclusief ontbijt. Villa met acht kamers, alle met liefde voor detail ingericht.

Fraai op de klif – **El Cabito:** 4 km ten oosten van de kust, voorbij het Grand Paradise Resort, gemarkeerd, tel. 809 820 22 63, www.elcabito.net. Catrin en John verhuren twee eenvoudige hutten vanaf € 27. Ook tenten en hangmatten om in te slapen (€ 5).

Eten en drinken

Ontmoetingspunt – **Plaza Lusitania:** Calle Principal, tel. 809 538 00 93, www.plazalusitania.com, US$ 5-10. Italiaanse gerechten met zelfgenaakte pasta, goede bediening. Tevens informatie over boottochten.

Understatement – **El Pescador:** Calle Principal. Goede zeevruchten, betere pizza's.

Snel, voordelig en goed – **Chez Denise:** Calle Principal. Eenvoudig, niet te duur restaurant van de charmante Franse Denise.

Nummer een – **El Cabito:** dit is een van de spectaculairste etablissementen van het eiland, zie ook Overnachten en blz. 112.

⑮ Het laatste paradijs – Las Galeras

Kaart: ▶ J/K 2/3

Dit is heel ver weg. Las Galeras ligt op het oostelijke puntje van het schiereiland Samaná. Het is haar mooiste plek – met goede hotels, grandioze stranden en veel mogelijkheden om de schitterende natuur te verkennen. Boven alles hangt hier een zeer ontspannen sfeer.

Las Galeras (2000 inwoners) is eenvoudig te bereiken. De weg vanuit de 26 km verderop gelegen provinciehoofdstad Samaná werd onlangs opnieuw geasfalteerd. De werkzaamheden waren onderdeel van een infrastructuurprogramma, waarin ook de aanleg van een snelweg is opgenomen. Zo is het vroeger geïsoleerde schiereiland Samaná tegenwoordig in drie uur vanuit Santo Domingo te bereiken.

Aankomst

De hoofdstraat, waarlangs u de plaats komt binnenrijden, is een doodlopende weg met als eindpunt de zee. Van hier buigen aan het einde de twee belangrijkste straten van Las Galeras af naar links en naar rechts. Aan de oostkant verstopt ligt het all-inclusiveresort Grand Paradise Samaná, waarvan u alleen iets merkt als de werknemers bij het wisselen van de wacht in oude Amerikaanse schoolbussen voorbij rijden. Verder heerst er in Las Galeras een aangename Caribische rust. Hier wonen, zoals overal op Samaná, nakomelingen van bevrijde slaven uit de VS, die zich in de 19e eeuw op het schiereiland vestigden.

De stranden

Las Galeras heeft de stranden waarnaar u altijd op zoek bent geweest. Hoogtepunt is de **Playa Rincón** ■, dat telkens weer tot een van de beste stranden van het Caribisch gebied wordt gekozen. Het ligt een paar kilometer naar het westen en strekt zich over 3 km uit. Het

Overigens: een tot op heden goed bewaard geheim. Tijdens het walvistrekseizoen van januari t/m maart zwemmen er enkele van de 10.000 tot 12 000 bultrugwalvissen, die in de Dominicaanse wateren komen paren, ook aan Las Galeras voorbij. Ze komen tot op 400 m van de kust. U kunt ze vanaf de rotsen bekijken, maar het is ook mogelijk om ze per boot te benaderen (zie blz. 113).

zand is wit, het water turquoiseblauw en de baai loopt geleidelijk af in de oceaan. Langs het strand ligt een klein palmbos, waar u in restaurantjes van vis en bier kunt genieten. Naar verluidt landde Christoffel Columbus in 1493 in deze ansichtkaartidylle, waar u tegenwoordig zonder wroeging de tijd kunt doden.

Dichter bij het dorp vindt u het strandje **Playita** 2, waar u twee kleine café-restaurants aantreft en snorkelmateriaal kunt huren. Het is een goed alternatief voor het naar plaatselijke maatstaven gemiddelde dorpsstrand, dat echter over een paar gezellige *comedores* beschikt.

Ten oosten van Las Galeras liggen op de uiterste punt van het schiereiland de wilde stranden **Playa Madame** 3 en **Playa Frontón** 4 verstopt. U komt er met de boot of na een lange wandeling over kronkelende paden. Beide stranden liggen achter dichte palmbossen verscholen en u kunt hier goed Robinson Crusoë spelen. Restaurants of andere voorzieningen zijn er niet. Aan de grotere en wittere Playa Frontón nodigt een 200 m hoge rotswand uit tot een beklimming. Er zijn twee routes met haken aangelegd.

Ongerepte natuur

Het laatste stuk tussen Las Galeras en de punt van het schiereiland Samaná is onbewoond en werd tot **Monumen-** to Natural Cabo Samaná 5 uitgeroepen. Hier leven onder meer leguanen, en verder zijn er een vleermuisgrot en een heilige plaats van de Taínos. U kunt de omgeving verkennen met een natuurgids, die u over de geheimen van de oorspronkelijke bewoners en de flora en fauna zal vertellen. Overigens moet u hiervoor wel een beetje Spaans spreken. Het is ook mogelijk om een lange paardrijtocht te maken.

Paradijs voor duikers

Voor de **Cabo Cabrón** 6, de 'bastaard-kaap', liggen de beste duiklocaties van de omgeving. Hier vindt u de 48 m hoge koraaltoren **Piedra Bonita**. Deze wordt door kleine vissen bewoond en door barracuda's, grote makrelen en schildpadden omcirkeld. Ook worden er soms dolfijnen gesignaleerd.

Een restaurant op de kliffen

Een van de bijzonderste plekken in de omgeving ligt ongeveer 4 km ten oosten van Las Galeras. In hun tuin aan de kust hebben de Nederlander John en de Berlijnse Catrin het kleine restaurant **El Cabito** 1 geopend. Het terras bevindt zich op palen direct boven de kliffen. Van hierboven kunt u de hele baai overzien, van een schitterende zonsondergang genieten en in het seizoen de passerende bultrugwalvissen bekijken. Het eten komt altijd vers uit de zee.

Hoofdattractie is een 15 m hoge klif naast het terras, vanwaar dappere gasten in het kristalheldere water kunnen springen. Een bamboeladder brengt u weer omhoog. Wanneer de zee ruw is en de nevel van de brekende golven over de kliffen waait, wordt de sprong natuurlijk een heel stuk moeilijker. Laat u de rotsspleet tonen waardoor de koele lucht uit een onderaardse grot naar boven wordt gedrukt. John en Catrin, die ook accommodatie verhuren, proberen in de regio ecotoerismeprojecten op te zetten, inclusief wandelingen over de afgelegen kaap Samaná.

Een bijzondere kunstenaar

De jonge Haïtiaanse schilder Samy stamt uit een wijdvertakte kunstenaarsfamilie uit de Haïtiaanse hoofdstad Port-au-Prince. Zijn familieleden leven tegenwoordig over het hele eiland verspreid. Samy zit van zonsopgang tot laat op de avond (zolang er stroom is) voor zijn kleine galerie-atelier **Taller y Galería de Arte Samy** ⑴ aan de hoofdstraat in Las Galeras en maakt prachtige schilderijen, waarbij hij zich zowel wat motieven als uitwerking betreft door de materialen van het eiland laat inspireren. Neem gerust een kijkje in de galerie, waar u ook werken van zijn familieleden kunt bewonderen.

• •

Informatie

Playa Rincón ⑴: het beste neemt u de ochtendboot vanaf het lokale strand. U wordt 's middags weer afgehaald (de overtocht duurt 20 minuten, retour RD$ 400). Ook kunt u met de auto over een moeilijk begaanbaar pad rijden (45 minuten). De afslag naar Playa Rincón ligt 7 km van Las Galeras aan de weg naar Samaná.

Playita ⑵: enkele kilometers naar het westen en goed te voet, per motoconcho of met de auto te bereiken.

Playa Madame ⑶ **en Playa Frontón** ⑷: het beste bereikbaar per boot vanaf het strand in Las Galeras; retour ongeveer RD$ 500.

Activiteiten in de omgeving van Las Galeras

Paardrijden: tochten georganiseerd door de Franse Armelle van La Loma-Cita (zie blz. 110) vanaf € 20 p.p.; het beste 's morgens vroeg of in de namiddag.

Snorkelen: voordelige boot- en snorkeltochten biedt Dario Pérez. Vraag op de Plaza Lusitania (zie blz.110) naar hem of bel hem op: tel. 809 924 60 81.

Duiken: het beste met Las Galeras Divers, Calle Principal, tel. 809 538 02 20, www.las-galeras-divers.com. Excursies naar alle duiklocaties in de omgeving. Meertalige leraren, twee duiken US$ 85 inclusief materiaal.

Walvissen kijken: georganiseerd door de Dominicaan Dario Pérez (zie snorkelen), die als enige in Las Galeras een licentie heeft.

Wandelen: John en Catrin van El Cabito (zie blz. 112) brengen u in contact met de beste natuurgidsen.

Klifrestaurant

El Cabito ⑴: di.-zo. vanaf 10 uur, tel. 809 820 22 63, reserveren vereist. Het beste restaurant in Las Galeras aan een van de spectaculairste delen van het eiland. Verse rivierkreeft vanaf 750 DR$.

Fraaie kunst

Taller y Galería de Arte Samy ⑴: Calle Principal, tegenover discotheek Manuel, dag. geopend.

Toeristische woordenlijst

Uitspraakregels

Zie voor bijzonderheden over het Dominicaanse Spaans blz. 11.

Woorden die op een klinker, n of s eindigen, krijgen het accent op de voorlaatste lettergreep, alle andere op de laatste lettergreep. Afwijkende accenten worden aangegeven (bijvoorbeeld teléfono). Bij twee klinkers naast elkaar worden beide afzonderlijk uitgesproken (bijvoorbeeld E-uropa).

Medeklinkers:

c	voor a, o, u als k, bijvoorbeeld casa, voor e, i als sj, bijvoorbeeld cien
ch	als tsj, bijvoorbeeld chico
g	voor e, i als een harde g, bijvoorbeeld gente
h	wordt niet uitgesproken
j	als een harde g, bijvoorbeeld jefe
ll	als een j, bijvoorbeeld llamo
ñ	als nj, bijvoorbeeld niña
qu	als een k, bijvoorbeeld porque
y	als een j, bijvoorbeeld yo (behalve aan het eind van een woord)
z	als een s, bijvoorbeeld azúcar

Algemeen

goedendag ('s morgens)	buenos días
goedendag ('s middags)	buenas tardes
goedenavond/ goede nacht	buenas noches
tot ziens	adiós
pardon	disculpe, perdón
hallo, hoe gaat het?	hola, ¿qué tal?
alstublieft	por favor
dank u	gracias
ja/nee	sí/no
pardon?	¿perdón?

Onderweg

station	la estación
luchthaven	el aeropuerto
bus/metro/auto	autobús/metro/ coche
halte	la parada
parkeerplaats	el aparcamiento
vervoersbewijs	el billete
benzinepomp	la gasolinera
ingang	la entrada
uitgang/afrit	la salida
rechts	a la derecha
links	a la izquierda
rechtdoor	todo recto
hier/daar	aquí/allí
informatie	información
stadsplattegrond	mapa de la ciudad
postkantoor	correos
geopend	abierto/-a
gesloten	cerrado/-a
kerk	la iglesia
museum	el museo
strand	la playa
straat	la calle
plein	la plaza

Overnachten

hotel/pension	el hotel/ la pensión
eenpersoonskamer	habitación individual
tweepersoonskamer	habitación doble
met/zonder badkamer	con/sin baño
toilet	el servicio
douche/bad	la ducha/el baño
met ontbjt	con desayuno
halfpension	media pensión
bagage	el equipaje
rekening	la cuenta

Winkelen

kopen	comprar
winkel/markt	la tienda/el mercado
geld	el dinero
geldautomaat	el cajero automático
contant	en efectivo
creditcard	la tarjeta de crédito
eten	la comida
duur/goedkoop	caro/barato
hoe veel	¿cuánto?
betalen	pagar

In geval van nood

apotheek	farmacia

arts/tandarts	el médico/el dentista	gisteren	ayer
help!	¡socorro!	morgen	mañana
ziekenhuis	el hospital, la clínica	's morgens	por la mañana
politie	la policía	's middags	a mediodía
pijn	dolores	's avonds	por la noche
ongeluk	el accidente	vroeg, laat	temprano, tarde
		maandag	lunes
Tijd, dagen van de week		dinsdag	martes
uur	la hora	woensdag	miércoles
dag	el día	donderdag	jueves
week	la semana	vrijdag	viernes
maand	el mes	zaterdag	sábado
jaar	el año	zondag	domingo
vandaag	hoy		

Getallen

1 uno	11 once	21 veintiuno	110 cientodiez
2 dos	12 doce	30 treinta	150 cientocincuenta
3 tres	13 trece	31 treinta y uno	200 doscientos
4 cuatro	14 catorce	40 cuarenta	500 quinientos
5 cinco	15 quince	50 cincuenta	1000 mil
6 seis	16 dieciséis	60 sesenta	2000 dos mil
7 siete	17 diecisiete	70 setenta	5000 cinco mil
8 ocho	18 dieciocho	80 ochenta	
9 nueve	19 diecinueve	90 noventa	
10 diez	20 veinte	100 cien	

Belangrijke zinnen

Algemeen

Spreekt u Engels? ¿Habla usted inglés?
Ik begrijp het niet. No entiendo.
Ik spreek geen Spaans. No hablo español.
Ik heet … Me llamo …
Hoe heet jij/u? ¿Cómo te llamas/se llama?
Hoe gaat het met jou/u? ¿Cómo estás/está usted?
Goed, bedankt. Muy bien, gracias.
Hoe laat is het? ¿Qué hora es?

Onderweg

Hoe kom ik in …? ¿Cómo se llega a …?
Waar is …? ¿Dónde está …?
Kunt u me … aanwijzen, alstublieft? ¿Me podría enseñar …, por favor?

In geval van nood

Kunt u me helpen, alstublieft? ¿Me podría ayudar, por favor?
Ik heb een dokter nodig. Necesito un médico.
Hier heb ik pijn. Me duele aquí.

Overnachten

Hebt u een kamer vrij? ¿Hay una habitación libre?
Hoeveel kost de kamer per nacht? ¿Cuánto vale la habitación al día?
Ik heb een kamer gereserveerd. He reservado una habitación.

Winkelen

Hoeveel kost …? ¿Cuánto vale …?
Ik wil … Necesito …
Wanneer opent/sluit …? ¿Cuándo abre/cierra …?

Culinaire woordenlijst

Traditionele gerechten

arepa	zoete of zoute maïs-koek
arroz moro	rijst, gekookt in een bouillon van spek, bonen, uien en kruiden
asopado	kippenbouillon met rijst en groenten, soms ook met vlees
bandera dominicana	het nationale gerecht; rijst met rode bonen en vlees
cabrito en adobo	gemarineerd, gebraden geitje
casabe	knapperig plat brood van maniok-meel
cazuela/zarzuela	visstoofschotel
chimichurris	gebraden stukjes ham
chivo guisado	gestoofd geitje
chicharrones	knapperig varkens-vlees
empanada	pasteitjes
locrio	Dominicaanse versie van de Spaanse paella
mangú de plátano	puree van groene bakbanaan
mondongo	stoofpot met pens
pasteles en hojo	pasteitjes gewikkeld in bananenblad
pescado en coco	vis in kokossaus
puerco en puya	gegrild heel varken
sancocho/salcocho	hartige Creoolse stoofschotel met varkensvlees of kip
yaniqueques	in olie gefrituurde maïspannenkoekjes

Bereidingen

à la plancha	gegrild
ahumado/-a	gerookt
al ajillo	in knoflooksaus
asado/-a	gebraden/gegrild
brocheta	spies
crudo/-a	rauw
empanado/-a	gepaneerd
frito/-a	gefrituurd
guisado/-a	gestoofd
hervido/-a	gekookt

Snacks en soepen (sopas)

bocadillo	belegd broodje
crema de queso	kaassoep
huevos fritos	spiegeleieren
jamón	ham
pan (tostado)	(geroosterd) brood
perro caliente	hotdog
queso	kaas
revoltillo	roerei
sopa de chícharo	kikkererwtensoep
sopa de pollo	kippensoep
tortilla	omelet

Vis (pescado) en zeevruchten (mariscos)

almeja	mossel
atún	tonijn
bacalao	kabeljauw
camarón	garnaal
cangrejo	kreeft
lambí	zeeslak
langosta	langoest
mejillón	mossel
merluza	heek
ostra	oester
pez espada	zwaardvis

Vlees (carne) en gevogelte (aves)

albóndiga	gehaktballetje
cabrito/chivo	geitje
carne en salsa	stukjes vlees in saus
cerdo	varkensvlees
chuleta	kotelet
conejo	konijn
cordero	lamsvlees
escalope	schnitzel
pato	eend
pavo	kalkoen
pechuga de pollo	kippenborst
picadillo	gehakt
pierna de puerco	varkenspoot
pollo	kip
rés	rundvlees
salchicha	worstje

solomillo	filet	yuca	zoete variant van
ternera	kalfsvlees		maniok
		zanahoria	wortel

Groenten (verduras) en bijgerechten (guarniciones)

Nagerechten (postres) en fruit (fruta)

aguacate	avocado	arroz con leche	rijstpudding met
arroz blanco	witte rijst		kaneel en suiker
berenjena	aubergine	cajuil	vrucht van de
boniato	zoete aardappel		cashewboom
calabaza	pompoen	cake	taart
cebolla	ui	cereza	kers
ensalada	salade	chinolas	passievrucht
espinaca	spinazie	cimito	soort pruim
fideo	noedels	coco	kokosnoot
frijol negro	zwarte bonen	fresa	aardbei
garbanzo	kikkererwten	frío-frío	geschaafd waterijs
guisante	erwten	fruta bomba	papaja
judía verde	groene bonen	galleta	koekje
lechuga	sla	guanábana	stekelvrucht
lenteja	linzen	guayaba	guave
maniok	typische wortel-	guineo/plátano	banaan
	groente	helado	roomijs
papa	aardappel	limón	limoen
papas fritas	patat	manzana	appel
pepino	komkommer	melocotón	perzik
pimiento	pepertje	melón	(honing-)meloen
plátano	bakbanaan	naranja	sinaasappel
puré de papas	aardappelpuree	natillas	mousse
tostones	gefrituurde bak-	pastel	taart
	banaan	piña	ananas
yams	zetmeelrijke wortel-	sandía	watermeloen
	groente		

In het restaurant

Ik wil een tafel reserveren. Quisiera reservar una mesa.
Een tafel voor twee personen, alstublieft. Una mesa para dos personas, por favor..
De menukaart/wijnkaart, alstublieft. El menú/la carta de vinos, por favor.
Is er een lokale specialiteit? ¿Hay una especialidad de la región?
Ik ben vegetariër. Soy vegetariano/-a.
Ik eet geen varkensvlees. No como carne de cerdo.
Mag ik een glas … hebben? ¿Podría tomar un vaso de …?
De rekening, alstublieft. La cuenta, por favor.
voorgerecht entrada/primer plato
hoofdgerecht plato principal
dagschotel plato del día
mes/vork/lepel cuchillo/tenedor/cuchara
glas/fles vaso/botella
zout/peper sal/pimienta
suiker/zoetstof azúcar/sacarina
ober/serveerster camarero/camarera

Register

Abreú 102
Activiteiten (kinderen) 25
Activiteiten (sport) 26
Alarmnummers 23
All-inclusivecomplexen 16
Altos de Chavón 53
Ambassades 23
Amber 86
Artsen 24
Auto 21
Autopista del Nordeste 22
Autopista Duarte 22
Autoverhuur 20
Avontuurlijke sporten 79
Avontuurlijk toerisme 27

Bachata 13
Báez, Buenaventura 39
Báez, Máximo Gómez 63
Bahía de Icaquitos 94
Bahía de las Águilas 67
Balaguer, Joaquín 15
Balneario La Toma 62
Bandera dominicana 18
Baní 63
Baoruco 66
Barahona 8, 65
Basílica Catedral Nuestra Señora de la Altagracia 59
Batey La Hormiga 105
Bateyes 55
Bávaro 60
Bayahibe 58
Belasting 17
Bevolking 13
Bier 19
Binnenlandse vluchten 20
Bluhdorn, Charles 53
Boca Chica 48
Boca de Tiburón 109
Boca de Yuma 60
Boottochten 26
Bultrugwalvissen 106
Bus 21

Cabañas 16

Cabañas turísticas 17
Cabarete 100
Cabo Cabrón 112
Cabo Engaño 60
Cabo Francés Viejo, Parque Nacional 102
Cabo Samaná 112
Cacao 96
Cacaoplantages 74
Canyoning 26
Carnaval 23
Carro Público 21
Casa Caoba 62
Casa de Campo 50
Casa de Ponce de León 60
Casas, Bartolomé de las 32
Cascada de Limón 104
Castillo del Cerro 62
Cayo Arena 92
Cayo Levantado 106
Cayo Linares 106
Cayo Paraíso 92
Cayo Vigia 106
Charcos de Damajagua 90
Cibaodal 96
Cofresí, Roberto 107
Colón, Bartolomé, zie Columbus, Bartolomeo
Colón, Cristóbal, zie Columbus, Christoffel
Colón, Diego, zie Columbus, Diego
Columbus, Bartolomeo 36
Columbus, Christoffel 36
Columbus, Diego 36
Comedores 18
Conde de Peñalba 41
Constanza 79
Cortés, Hernán 33
Creditcards 24
Criminaliteit 23
Cueva de La Arena 109
Cueva de la Línea 108
Cueva de Maravillas 51

Cueva del Puente 58
Cuevas de Cabarete 100
Cuneo, Michele da 59

Damajagua 90
Davidoff, Zino 97
Diefstal 23
Diepzeevissen 27
Diplomatieke diensten 23
Dolfijnen 112
Dominicaans Spaans 11
Dominicus Americanus 53
Douane 20
Drake, Francis 14
Drinken 18
Drinkwater 18
Drugs 45
Duarte, Juan Pablo 85
Duiken 28
Duikscholen 28
Duurzaam reizen 28

Ébano Verde 77
Economie 13
Ecotoerisme 29
Eiffel, Gustave 92
El Castillo 89
El Choco, Parque Nacional 100
El Limón 104
El Morro 93
El Seíbo 57
Encomiendasysteem 14
Eten 18
Evenementen 23
Excursies 27

Falco 96
Fauna 66
Feestdagen 22
Fernández, Leonel 15
Festivals 22
Fietsen 27
Flamingo's 67
Flora 66
Fort Liberté 95
Fransen 14

Garay, Francisco de 33
Gehandicapten 26
Geld 24
Geldautomaten 24
Geschiedenis 14
Gezondheid 24
Golf 27
Groepstaxi's 21
Grotschilderingen 52
Guagua 27
Guayacanes 48
Guayamate 56

Haïti 14
Haïtianen 11
Hanengevechten 12
Hato Mayor 57
Heenreis 20
Heureaux, Ulises 14
Higüey 59
Hispaniola 14
Honkbal 12
Hotels 16

Iglesia de las Mercedes 97
Imbert 81
Informatie 20
Internet 25
Inwoners 13
Isla Cabra 94
Isla Cabritos, Parque Nacional 64
Isla Saona 59

Jarabacoa 76
Jaragua, Parque Nacional 67
Jimaní 64
Jimenes, León 71
Joden 95
José Armando Bermúdez, Parque Nacional 77
Juan Dolio 48

Kajakken 27
Kamirrif 29
Kamperen 17
Kengetallen 29
Keuken 18
Kinderen 25
Kite Beach 101
Kiteboarden 101

Kitesurfen 29
Klimaat 26
Koffie 29
Krokodillen 62

La Cumbre 98
La Descubierta 64
La Ensenada 92
La Isabela 89
La Navidad 14
La Nueva Isabela 14
La Romana 50
La Ruta del Café 98
La Toma 62
La Trinitaria 14
La Vega 73
La Vega Vieja 97
Lago Enriquillo 64
Laguna de Oviedo 67
Laguna Gri-Gri 102
Larimar 64,
Las Caritas 64
Las Cuevas 67
Las Galeras 111
Las Terrenas 102
Leguanen 64
León, Ponce de 60
Ligging 13
Loma Quita Espuela 74
Los Haitises, Parque Nacional 107
Los Patos 67
Los Tres Ojos 46
Los Yagrumos 106
Luchthavens 20
Luperón 89

Mamajuana 19
Mangroven 107
Martí, José 63
Medicijnen 25
Medische verzorging 25
Meneses Bracamonte, Bernardino de 41
Merengue 13
Milieu 28
Minibus 21
Mirabal, gezusters 95
Mobiele telefoons 29
Moca 97
Monte Cristi 92
Monte Llanos 96
Montesinos, Antonio de 32

Monumento Natural Cabo Samaná 112
Morel, Tomás 70
Motels 17
Motoconcho 21
Motorfietstaxi's 21
Mountainbiken 27
Museo de las Hermanas Mirabal 98
Museo Judío 95
Muziek 13

Nationale gerechten 18
Nationale parken 29
  Cabo Francés Viejo 102
  El Choco 100
  Isla Cabritos 64
  Jaragua 67
  José Armando Bermúdez 77
  Los Haitises 107
  Monte Cristi 92
  Parque Nacional del Este 58
  Sierra de Baoruco 67
Natuur 10
Natuurreservaten 10
Nevelwoud 74
Noodgevallen 23

Openingstijden 26
Ovando, Nicolás de 14
Overnachten 16
Oviedo 67

Paardrijden 28
Papegaaien 108
Paraíso 67
Parque Histórico La Vega Vieja 97
Parque Nacional Histórica La Isabela 89
Patroonheiligen, feesten 22
Pedernales 66
Pensions 16
Perico Ripiao 13
Personenwagen 21
Pico Duarte 79
Piedra Bonita 112
Planten 66
Playa Bretón 102
Playa Cabarete 101
Playa Caletón 101

Register

Playa Cofresí 81
Playa Dorada 81
Playa Encuentro 101
Playa Frontón 112
Playa Grande 101
Playa Limón 61
Playa Madame 112
Playa Preciosa 101
Playa Rincón 111
Playita 112
Prijzen 17
Prostitutie 11
Pueblo Viejo 97
Puerto Plata 81
  Brandweerkazerne 85
  Iglesia San Felipe 85
  Long Beach 81
  Luchthaven 88
  Malecón 85
  Museo de Arte Taíno 86
  Museo del Ámbar 86
  Parque Central 85
  Pico Isabel de Torres 81
  San Felipefort 85
  Vrijmetselaarstempel 85
Punta Cana 60
  Luchthaven 20
Punta Rucia 92
Puntacana Ecological Park & Reserve 61

Raften 27
Regenseizoen 26
Regenwoud 74
Reggaeton 13
Reistijd 26
Reizen met een handicap 22
Religie 13
Reserva Científica Ébano Verde 77
Reserva Científica Loma Quita Espuela 74
Restaurants 18
Río Baiguate 77
Río Brujuela 46
Río Chavón 53
Río Damajagua 90
Río El Limón 104
Río Ozama 36
Río San Juan 101
Río Yaque del Norte 77
Río Yásica 101

Roaming 29
Roken 26
Rubber 105
Rum 19

Sabana de la Mar 107
Salcedo 97
Salto de Baiguate 77
Saltos de Aguas Blancas 80
Saltos de Jimenoa 77
Samaná 9
San Cristóbal 62
San José de Ocoa 63
San Pedro de Macorís 49
San Rafael 66
San Rafael de Yuma 60
Sánchez, Guillermo González 41
Sancocho 18
Santa Bárbara de Samaná 106
Santiago de los Caballeros 70
Santo Cerro 97
Santo Domingo 8
  Acuario Nacional 39
  Alcázar de Colón 37
  Altar de la Patria 42
  Architectuur 41
  Calle Conde 40
  Calle Las Damas 32
  Casa de Bastidas 32
  Casa de Hernán Cortés 33
  Casa de Tostado 32
  Casa del Cordón 33
  Catedral Santa María la Menor 37
  Dominicanenklooster 32
  Faro a Colón 38
  Fortaleza Ozama 37
  Hospital San Nicolás de Bari 39
  Hostal Nicolás de Ovando 33
  Kloosterruïne San Francisco 33
  Los Tres Ojos 46
  Luchthaven 20
  Monumento a Fray Montesinos 32

  Museo de la Familia Dominicana 32
  Museo de las Casas Reales 33
  Museo del Arte Moderno 39
  Museo del Hombre Dominicano 39
  Museo Infantil Trampolín 32
  Museo Mundo de Ámbar 43
  Nationaal Pantheon 33
  Parque Colón 36
  Parque Independencia 42
  Parque Mirador del Este 46
  Plaza Bartolomé de las Casas 32
  Plaza de la Cultura 39
  Puerta del Conde 42
Sekstoerisme 11
Semana Santa 23
Servicekosten 17
Siboneys 14
Sierra de Baoruco, Parque Nacional 67
Siete Hermanos 28
Sigaren 97
Suikerriet 54
Silver Banks 28
Slaven 14
Snorkelen 28
Sosúa 95
Spanjaarden 14
Specialiteiten 18
Spielberg, Steven 78
Sport 26
Stranden 111
Surfen 29
Surfscholen 29

Taal 11
Tabak 96
Taínos 14
Taxi 21
Telefoon 29
Temperaturen 26
Templo de las Américas 89
Tenten 17
Toerisme 10
Toeristenbureaus 25

Toeristenpolitie 23
Tostado, Francisco de 32
Trueba, Benigno 41
Trujillo, Rafael Leónidas 14
Tubagua Plantation Eco
    Village 96

Uitstapjes met kinderen
    25

Vaccinatie 24
Valle del Cibao, zie
    Cibaodal
Veiligheid 23
Verkeersregels 22
Vervoer 20

Vluchten 20
Vogels 74
Vruchten 18

Walvissen 112
Wandelen 29
Watertemperaturen 26
Watervallen
    Cascada de Limón 104
    Damajagua 90
    Jarabacoa 77
    Jimenoa 77
    Saltos de Aguas Blancas
        80
Weer 26
Wegen 22

Wellness 99
Wildwatervaren 27
Windsurfen 29
Wisselkoersen 22

Zelfstandige reizigers 17
Ziekenhuizen 24
Zip-lining 87
Zoutwaterbekkens 93
Zwemmen 27

Fotoverantwoording
Omslag: palmboom op idyllisch strand (123RF)

DuMont Bildarchiv, Ostfildern: blz. 12, 68, 71 (Huber)
laif, Köln: blz. 33 (Heeb)
Mauritius Images, Mittenwald: blz. 30/31 (Kolley), 111 (Author's Image)
Alle overige foto's zijn gemaakt door Philipp Lichterbeck, Berlijn

Notities

Notities

Notities

Notities

Hulp gevraagd!
De informatie in deze reisgids is aan verandering onderhevig. Het kan dus wel eens gebeuren dat u ter plaatse een andere situatie aantreft dan de auteur. Is de tekst niet meer helemaal correct, laat ons dat dan even weten.
Ons adres is:
ANWB Media
Uitgeverij Reisboeken
Postbus 93200
2509 BA Den Haag
anwbmedia@anwb.nl

Productie: ANWB Media
Uitgever: Marlies Ellenbroek
Coördinatie: Els Andriesse
Tekst: Philipp Lichterbeck
Vertaling, redactie en opmaak: Ernst Schreuder, Amsterdam
Eindredactie: Wiljan Broeders, Terheijden
Stramien: Jan Brand, Diemen
Concept: DuMont Reiseverlag, Ostfildern
Grafisch concept: Groschwitz/Blachnierek, Hamburg
Cartografie: DuMont Reisekartografie, Fürstenfeldbruck
© 2011 DuMont Reiseverlag, Ostfildern

© 2011 ANWB bv, Den Haag
Eerste druk
Gedrukt in Italië
ISBN: 978-90-18-03222-7

Paklijst

Steuntje in de rug nodig bij het inpakken?
Door op de ANWB Extra Paklijst aan te vinken wat u mee wilt nemen, gaat u goed voorbereid op reis.
Wij wensen u een prettige vakantie.

Documenten
- [ ] Paspoorten/identiteitsbewijs
- [ ] (Internationaal) rijbewijs
- [ ] ANWB lidmaatschapskaart
- [ ] Visum
- [ ] Vliegticket/instapkaart
- [ ] Kentekenbewijs auto/caravan
- [ ] Wegenwacht Europa Service
- [ ] Reserveringsbewijs
- [ ] Inentingsbewijs

Verzekeringen
- [ ] Reis- en/of annulerings-
  verzekeringspapieren
- [ ] Pas zorgverzekeraar
- [ ] Groene kaart auto/caravan
- [ ] Aanrijdingsformulier

Geld
- [ ] Bankpas
- [ ] Creditcard
- [ ] Pincodes
- [ ] Contant geld

Medisch
- [ ] Medicijnen + bijsluiters
- [ ] Medische kaart
- [ ] Verbanddoos
- [ ] Reserve bril/lenzen
- [ ] Norit
- [ ] Anticonceptie
- [ ] Reisziektetabletjes
- [ ] Anti-insectenmiddel

Persoonlijke verzorging
- [ ] Toiletgerei
- [ ] Nagelschaar
- [ ] Maandverband/tampons
- [ ] Scheergerei
- [ ] Föhn
- [ ] Handdoeken
- [ ] Zonnebrand

Persoonlijke uitrusting
- [ ] Zonnebril
- [ ] Paraplu
- [ ] Boeken/tijdschriften
- [ ] Spelletjes
- [ ] Mobiele telefoon
- [ ] Foto-/videocamera
- [ ] Dvd- en/of muziekspeler
- [ ] Koptelefoon
- [ ] Oplader elektrische apparaten
- [ ] Wereldstekker
- [ ] Reiswekker
- [ ] Batterijen

Kleding/schoeisel
- [ ] Zwemkleding
- [ ] Onderkleding
- [ ] Nachtkleding
- [ ] Sokken
- [ ] Regenkleding
- [ ] Jas
- [ ] Pet
- [ ] Schoenen
- [ ] Slippers

Onderweg
- [ ] Routekaart
- [ ] Navigatiesysteem
- [ ] Reisgids
- [ ] Taalgids
- [ ] Zakdoeken
- [ ] ANWB veiligheidspakket
- [ ] Schrijfgerei